JN117384

朝露

日本に住む脱北した
元「帰国者」とアーティストとの共同プロジェクト

Morning Dew

A collaraborative project between the artist and “ex-returnees”
who defected from North Korea to Japan

目次

『朝露』──記憶と記録へと向かう芸術的想像力

毛利嘉孝

記憶と記録とはしばしば対比的に用いられる語であるが、実際にはそれほどはっきりと区分されるわけではない。どちらも、時に消去されたり、抑圧されどこかに閉じ込められたり、断片化されたり、焦点や輪郭を失ったり、場合によっては捏造されたりする。とりわけ歴史の暴力は、記憶も記録も容赦なく蹂躙しながらばらばらにし、瓦礫の中に埋葬していってしまう。

したがって、記憶は記録を、そして記録は記憶を常に必要としている。すっかり忘れていた記憶が一枚の写真や映像、あるいは音や匂いといった記録によって鮮やかに蘇るという経験をすることは決して珍しくない。逆に、記憶する人がこの世界にいなくなったあとも、記録が物質として残っていることによってたえず集団的な──それはしばしば国や民族、人種、家族などの形式をとるのだが──記憶が再生産され続ける。記憶と記録は相互に依存し、時に溶け合い、形を変えながら生き延びるのだ。

琴仙姫のプロジェクト「朝露」は、記憶と記録の複雑な関係をあらためて考えさせられる。日本に住む脱北した人々——その多くは1950年代から1980年代にかけて日本で行われた「帰国事業」で北朝鮮に移住した在日朝鮮人やその子孫である——と琴仙姫、竹川宣彰、山本浩貴＋高川和也といったアーティストとの「共同」プロジェクトは、公的な歴史の中で記憶からも記録からも消去されてしまっている人々の生活や経験をなんとか残していこうという試みである。

けれども、それは簡単な作業ではない。日本に住む脱北した人々は、多くの場合どのコミュニティにも属すこともなく、政治的な迫害や社会的な差別を恐れてひっそりと隠れて生活しているからだ。そこには北朝鮮の国内政治の窮状だけではなく、朝鮮半島に横たわる南北の深い分断とそれを反映した在日朝鮮人・韓国人コミュニティ、そして何よりもそもそもの分断をもたらした日本の植民地主義、いまだに日本社会に残存する日本帝国主義に対するメランコリー、病理的な人種差別などの問題が複雑に絡まり合っている。記憶も記録もどちらもが定着することなく、忘却と消去を強制する暴力にたえず晒されているのだ。

この困難のために、琴仙姫をはじめとするプロジェクトに参加するアーティストたちの手つきは繊細にならざるをえない。時に逡巡し、あるいは後退し、自分自身と対話をしながら、手がかりを探そうとする。アカデミックな研究者やジャーナリストであれば、埋もれてしまった記録を発見し、それを手がかりに記憶を掘り起こしながら、社会から消されてしまった「真実」の声を発見しようとするのかもしれない。けれども、近年の歴史修正主義の動向が明らかにしているように、そうして発見される「真実」もまたより声高でフェイクな歴史によってしばしばかき消されてしまっている。歴史修正主義に対して「真実」を対峙させることは、絶対的に必要なことなのだが、同時に私たちはある種の想像力をたえず提示しなければならないのである。

「朝霧」は、こうした状況の下でまた別の経路で記憶と記録へアプローチする方法を探すプロジェクトなのだ。それは、アカデミックな歴史家の、あるいはジャーナリストの「真実」へのアプローチとは異なり、断片化されて粉々になった記憶と記録に想像力を通じて接近しようという試みである。他に適切な言葉がないので、その営為をとりあえずは「芸術」だとか「アート」だとかいった言葉で呼ぶほかはないのだが、歴史家やジャーナリストとは異なるまた別の、歴史と経験へのひとつの芸術的なアプローチである。それは小さな試みではあるが、この困難な状況の下で遠くまで行くことができる数少ない道のように思われる。試みはまだ始まったばかりだ。これがどのように発展していくのか期待したい。

朝露プロジェクト――深い空白への挑戦

琴仙姫

過去に扇動的な策を弄したとして有罪判決を受け、現在はプエルトリコ解放を支持したという罪状で68年の刑に復している男性が次のように述べた。「闘いは虚構と虚構の間にも存在する……われわれのような狂人はつねに自由の王国(マルクス)、つまりわれわれ自身の〈ユートピア〉の概念に向かって闘いをつづける」と。……現存する支配的な価値体系を打ち砕き、社会的・文化的秩序の基盤自体に挑戦するということは、単に若干の偏見を打破し、同一者の機構内の権力関係を逆さにすることではない。むしろ、あらゆる合理化の回転扉をくぐりぬけ、虚構と虚構のあいだの闘いという現実を正面から見すえることが必要だ。◆1

トリン・T・ミンハ

2008年夏、北京から23時間かけて中国の少数民族である朝鮮族が多く住む延吉まで寝台列車に乗って移動していた。北朝鮮と中国の国境にある長白山を訪れるためだった。長白山は北朝鮮では白頭山と呼ばれ、朝鮮半島で最も高い山であり神聖な山とされている。1997年に修学旅行で平壌を訪れた際、天候不順のためこの山を訪れることができなかった。頂上に位置している天池の風景を見ることはその頃の夢の一つであった。延吉から早朝にバスで出発し、長時間のこたえる移動の末に出会った天池の風景は言葉を失うほど美しかった。しかし、その周辺地域では脱北する人々が後をたたず、村々に潜んで住んでおり、旅の間中暗い影を落としていた。それ以来、延吉には4度足を運び、国境地帯の小さな村に暮らす脱北した人々に出会った。

2011年にソウル文化財団の支援を受けて、韓国で北朝鮮からの移住者とともに一連のアートワークショップを開催した。ワークショップを重ねる中、脱北した人たちの苦難の道のりが徐々に輪郭をあらわにしてきた。その間、参加者から1950年代後半から1980年代前半にかけて行われた帰国事業の一環として日本から北朝鮮に移住した「帰国者」の話も聞くようになった。曾祖父をはじめ、北朝鮮に移住していった親戚の記憶と重なった。現地での彼らの話を聞いて驚きを隠せなかった。帰国者は歓待されて暮らしていたと思っていたからだ。少なくとも私たちの属していたコミュニティでは、帰国事業の物語はそう語られていた。その頃の時間と空間を記述するナラティブは盲点になっていた。そして、その「帰国者」の中で、脱北して日本に戻ってきた方々がいるという話を聞いた。

彼らの生活の中で最も困難な状況のひとつは、元「帰国者」が日本での環境に適応するために沈黙を守っていることである。活動家として活動している方々は顔や身分を明かしてくれるが、その場合でも、20〜40年間北朝鮮に住んでいたことを近所の人には明かさないようにしている。[2] 北朝鮮と関わりのある人には容赦ないスティグマがつきまとう。自分の過去が明らかになり、周囲の人々から冷ややかな目で見られるという推定される未来をあらかじめ避けているのである。一度知られたスティグマは簡単には拭い切れない。

過去に一連の日本人拉致事件や核兵器の保有を認めた時期以降、北朝鮮と日本の外交関係は悪化する一方となった。公共の場でのヘイトスピーチや5ちゃんねる（旧2ちゃんねる）などでの暴言は常態化した。日本の一般市民は北朝鮮を「怖い国」とよく表す。北朝鮮に関係するもの、人物には近づかない方がいいという雰囲気がある。

2017年から2018年にかけてインドに滞在していた頃、アクセスできない怖れの領域と向き合うため「朝露」プロジェクトを構想し、2019年から2020年にかけて川村文化芸術振興財団 ソーシャリー・エンゲイジド・アート支援助成の支援を受けて日本で実現させた。

「朝露」プロジェクトはアーティストと、北朝鮮へ移住し脱北して日本へ戻ってきた元「帰国者」との共同プロジェクトである。現在、日本には約200人の元「帰国者」が暮らしている。彼らの多くは、1950年代後半から1980年代前半にかけて行われた「帰国事業」で北朝鮮に移住した在日朝鮮人やその子孫である。当時大々的に報道された「地上の楽園」という幻想を信じ北朝鮮に移住した。そのほとんどが、現在の韓国出身の在日コリアンであった。そして「帰国者」たちは移住後、朝鮮戦争からの復興途上にある北朝鮮で、過酷な生活を強いられることになった。

2019年から2020年にかけて、アーティストの山本浩貴+高川和也、竹川宣彰、キュレーターの岡田有美子と共同で「朝露」プロジェクトを推進した。この期間、東京と大阪、ソウルを拠点とする16名の元「帰国者」またはその子孫に出会うことができた。彼らの多くは、身分を隠して日本でひっそりと暮らしている。彼らを探し出して出会うことは最初の挑戦だった。このような状況の中、各アーティストは日本に住む元「帰国者」を探し出し出会うことを試みた。それぞれの出会いから生まれた作品が展覧会とシンポジウムの形で発表され、ディスカッションが行われた。

プロジェクトのタイトルである「朝露」は、80年代に韓国の学生運動で歌われた歌で、魂の暗い夜を経て純粋で美しいものに生まれ変わることを象徴している。

「朝露」プロジェクトのプロセスを振り返ると、それは集団への同化を強制され個性を剥奪された顔のない人々、死ななければ脱出できない閉じ込められた身体と向き合う行為であり、彼らは東アジアにおける「記録されなかった歴史の体現者」であった。在日コリアンの「祖国」への片想いはカタストロフィになったのだが、最も印象に残ったのは、北朝鮮で亡くなった「帰国者」たちが「見捨てられた人たち」であり、彼らの死がほとんど注目されなかったことである。ある種の人々が、国家的な策略の結果、痕跡も公的な哀悼もなく、空白に消えてしまったように思える。彼らは生きているときも死んでいるときも、日本、北朝鮮、そして韓国からも望まれない人々であった。どの政府も彼らの権利や生命を主張することはなかった。天国という蜃気楼の中に消えていればよかったのだが、現実は私の願いよりはるかに残酷だった。強制収容所での過酷な生活と栄養失調を経験し、餓死などで亡くなった人も多かった。強制収容所では秘密を守るため、国家の物語を聖域に保つために、多くの人が虐待を受け処刑された。「祖国」の人々に受け入れてもらいたいという熱烈な願いは裏切られた。「祖国」の両義性は北朝鮮に「帰国」した何万人もの在日コリアンの希望を打ち砕いたのである。

「朝露」プロジェクトの最後のインタビューは、2020年10月に日本と北朝鮮を結ぶ港がある新潟で終わった。そこは、私が10代の頃、新潟港から船で北朝鮮に渡ったことがある場所だった。今回実際に元「帰国者」から聞いた話は氷山の一角であり、『「招待所」という名の収容所』の著者ロバート・S・ボイントンが述べるように、彼らから聞いた話は「信じがたい話」であった。表象された北朝鮮のファサードと、元「帰国者」へのインタビューを通しての北朝鮮体験の乖離は、困惑するほど甚大だった。作品において、国家のナラティブをめぐる衝突した裂け目のゾーンの中で、ポストコロニアル・トラウマを辿り、現在の東アジアの地政学的状況を検証することにした。

歴史のカストディアン（管理人）：ポストコロニアル・トラウマから見た東アジア

ほんの半世紀ほど前、地球の大部分（地表のほぼ3分の2を占め、10億人以上）が適切な政治的権利を持たない場所と人々であったことを理解するまで、植民地主義の解消が芸術と文化に及ぼす力を今日過小評価することはたやすい。植民地国家の構造が崩壊した現在、グローバルモダンの初期に特徴的だった帝国の言説を撃退し始めた自決、植民地主義からの解放、政治的独立といったユートピア的願望をあざけることは、また、容易である。[3]

オクウィ・エンヴェゾー

「解放」後、朝鮮半島は冷戦勢力の間で錯綜した。朝鮮戦争という世界的な覇権をめぐる領土拡張が地上戦を経て行われたのである。人々はこの戦争の残骸からまだ立ち直っていない。断絶され断片化された部分を再接続する作業なしに、北朝鮮という国家を生き延びた元「帰国者」の証言を聞くことは難しくなる。この歴史的連続性を少しでも繋いで見ることができれば、東アジアの政治的緊張を緩和することができると仮定した。彼らは脱植民地化の途上におり、その過程で著しく損なわれた土地と人々である。

インタビューと同時に、隠匿され絡みあった歴史の断片が記録されたアーカイブ映像を発掘する考古学的実践が行われた。生き残るために沈黙が人々に課せられたのと同時に、関連する記録映像も往々にして公開されないまま、脱植民地化の約束が頓挫した瓦礫の下に埋もれている。そこには映画的な「記憶の穴」[4]がある。暗がりに追いやられた記憶を掘り起こし、ポストコロニアルのトラウマと向き合いながら、それらのイメージに光を当てる作業を行った。「朝露」の映像作品は朝鮮半島と日本での歴史的な出来事を時系列に追っていくかのように流れていく。拡張された歴史的イメージと未露光のイメージをひとつの架空の時間の流れの中に並置することで両者の釣り合いを保ち、ナショナル・アイデンティティとナショナル・ナラティブを不安定にさせることを意図した。一部の映像は政治的な意味合いが強いため主要なメディアで見せることが禁じられている。これらの隠匿されたイメージの断片は歴史の影であり、むしろどこまでも私たちを追い続ける。憑かれたような歴史の記憶は私たちを無知と論争の状態に置き去りにし、互いを引き離す。

眠りにつくたびに夢の中に同じ人物が現れ続けるかのように、実写の映像が所々で挿入されている。それらが分かち合う目覚めの世界での現実に間接的に影響を与えているパラレルリアリティであるかのように。起きていても眠り続けている人もいれば、眠りの中で起きている人もいる。実写の中の人物は、この二つの領域を絶えず行き来している。

ポストコロニアルのトラウマは何百万人もの命を身体的にも精神的にも粉々にしてきた。歴史の分裂し破片化した断片は多方面に散らばり、全体としてまとまった記憶をもはや誰も取り戻すことができない。怨みと民族の誇りの幻影に取り憑かれたかのように、人々は死を生み出し続けた。対立するグループがさらなる誤解と怒りと憎しみを呼び起こした。東アジアの賠償問題をめぐる長引く政治論争に、私たちは誰一人として答えや解決策を持っていない。

そんなアポリアの中、呪文を呟くように、そして過去の幻影と対話するように映像が紡がれていった。

日本のメインストリームでは、国家を持たないアイデンティティが好まれ、大衆的で商業的な需要に適合することは、それ自体が美術界に受け入れられるための必要条件であるように思われる。芸術機関の空間を無菌状態に保とうとする努力は、現代日本の言説にダイナミズムと説得力を欠くものにしている。このような状況の中で「朝露」プロジェクトは、アーティスト、キュレーター、批評家たちが、相互監視の社会における剥奪と検閲という魂の闇夜を経て、沈黙の中で生きている顔のない人々と向き合う共同作業であった。

私の周りには未だに積み上げられたままの元「帰国者」のインタビュー映像に囲まれており、それは未完のプロジェクトである。

1――トリン・T・ミンハ著、小林富久子訳『月が赤く満ちる時―ジェンダー・表象・文化の政治学』みすず書房、１９９６年、７頁。
Trinh T. Minh-Ha , *When The Moon Waxes Red.*

2――２０１９年８月30日、石川学さんへのインタビューより。

3――Okwui Enwezor, “The Postcolonial Constellation” in Terry Smith, Okwui Enwezor, and Nancy Condee eds., *Antinomies of Art and Culture* (Duke University Press, 2008), p.224.
原文は以下。It is easy to underestimate today the force of the dissolution of colonialism on art and culture until we realize that, not so long ago - barely half a century - the majority of the globe (covering almost two-thirds of the earth’s surface and numbering more than a billion people) were places and peoples without proper political rights. Now, with the decay of colonial state structures, it is again easy enough to mock the utopian aspirations of self-determination, liberation from colonialism, and political independence that began to see off the imperial discourse that had characterized global modernity in its early phase.

4――参照：Okwui Enwezor, “The Wreck of Utopia: Alienation and Disalienation in John Akofrah’s Postcolonial Cinema,” in *John Akomfrah: Signs of Empire* (New Museum, 2018), p91.

ポストコロニアリズムの時代におけるソーシャリー・エンゲイジド・アート

山本浩貴

「北朝鮮帰国事業」とは何か

「北朝鮮帰国事業」は主に日朝赤十字の主導により、1959年12月から1984年7月まで継続された(途中、3年間の中断期間あり)。およそ25年のあいだに、たくさんの在日コリアンとその家族たち(日本人配偶者を含む)が北朝鮮にわたった。その数は総計9万人をこえると推定されている。◆1

これほどまでに多くの在日コリアンたちが「祖国」へと「帰国」した背景には、当時、北朝鮮がさかんに宣伝していた「地上の楽園」というプロパガンダの存在があった。活字と映像を通じて「躍進する社会主義国家」という北朝鮮のイメージが広く流布され、日本のマスメディアによる好意的な報道はその信憑性を後押しする役割を果たした。万人に開かれた「楽園」では、人種や民族に関係なく、努力と能力次第で誰もが教育や就職の自由を享受できると大々的に喧伝された。

こうした北朝鮮の「魅惑的な」イメージを「プル(=引きつける)要因」としたとき、それと裏表一体の関係にあった「プッシュ(=押しだす)要因」の存在を忘れてはならない。特に日本において「北朝鮮帰国事業」にまつわる展覧会を行ううえで、この「プッシュ要因」を避けて通ることはできないだろう。その要素とは、戦後の日本に暮らしていた在日コリアンの大多数が陥っていた苦境である。[2]

まず、法的地位の問題がある。左翼的・共産主義的な投票層の形成を懸念した日米政府は、すでに1945年12月までに在日コリアンから選挙権を剥奪していた。[3] さらに1952年に日本政府は在日コリアンから一方的に日本国籍を剥奪し、彼・彼女らは突如として国内法の保護から除外される「外国人」となった。言うまでもないが、この「日本国籍」は大日本帝国が朝鮮を植民地化したときに現地の人々に強制的に付与したものである。

加えて、戦後の日本では、在日コリアンのための自由な民族教育の場が制限されていた。連合国軍最高司令官総司令部（GHQ）からの指示を受け、文部省は1948年に次のような通達を出している。「朝鮮民族学校において朝鮮語の授業を行うときは、あくまでカリキュラム外の活動とすること[4]」。さもなければ、日本において朝鮮語を勉強する機会は固く閉ざされていた。

重ねて戦後の日本にいた在日コリアンは、自らに対する差別に苦しんでいた。例えば、能力や適性ではなく、民族や出自に基づく就業差別。とりわけ戦後初期においては、多くの在日コリアンにとって経済的な困窮から逃れることはきわめて難しかった。北朝鮮が作り出した「地上の楽園」――出自にかかわらず、誰もが自由に学び、働くことができる場所――という虚像があれほどまでに多大な影響力を有した背景には、こうした社会的文脈が存在していた。

しかし、「地上の楽園」をめざした在日コリアンとその家族たちが目にした現実は、彼・彼女らが期待していたものとはかけ離れていた。彼・彼女らは慢性的に深刻な貧困状態に陥り、想像を絶する飢餓と欠乏に苦しんだ。北朝鮮では、日本から移住した多くの人々が栄養失調により亡くなった。絶望して、自ら命を絶った人もいたという。独裁体制の下で数多くの日本からの「帰国者」が不明確な理由で強制収容所に送られ、そこで命を落としている。

この出来事は、いまだに解決されていない東アジアの歴史問題のひとつとして残っている。この問題に関して公式に発言しようとしない日本と北朝鮮の両政府は、「帰国事業」の歴史が忘却の底に沈むことをひそかに望んでいるようにさえ思われる。戦後の、そして冷戦期の東アジアにおける地政学的な力学に翻弄された人々の物語は、ひっそりと忘れ去られようとしている。

「ソーシャリー・エンゲイジド・アート（ＳＥＡ）」という芸術潮流

「ソーシャリー・エンゲイジド・アート」は「現代アートにおける社会的実践」の総称である。英語でつづると「Socially Engaged Art」であり、しばしば「ＳＥＡ」と略記される。通例として、「engage」は「関与する」

と訳されるが、この単語には深いコミットメントのニュアンスが込められる。そのため日本語では「社会と関わる芸術」あるいは「社会関与型芸術」などと訳されるが、カタカナのまま使用されることも多い。「ソーシャリー・エンゲイジド・アート」をはっきりと定義することは難しい。研究者のあいだでも明確なコンセンサスはない。とはいえ、ざっくりと大別するとSEAに関するふたつの見方があるように思われる。

ひとつは「結果」に重点を置く見方である。たとえば、キュレーターのマリア・リンドはSEAを「社会的・政治的な変革に開かれているアート」であると規定する。[5]

一方、アーティストのパブロ・エルゲラはもうひとつの見方を提示する。エルゲラは、SEAは「社会的相互行為なしに成立しない」と説く。[6] すなわち、彼は「過程」こそ、SEAを成立させる要素であると考えるのだ。これらの見方を総合して、筆者はSEAを「公共空間での人々との交わりを志向する社会的芸術実践」と理解する。

しかし、SEAに対して批判的な見方も提起されている。その急先鋒が美術史家のクレア・ビショップである。ビショップは『人口地獄』(2012)のなかで、SEAにまつわるふたつの問題点を示した。[7] ひとつは、SEAが社会的に重要な問題を扱っているという理由だけで、しばしば肯定的評価の対象となる点である。これに対して、彼女はSEAを批評的に分析し、比較的に検討することが肝要であると主張する。

もうひとつの問題として、ビショップはSEAがあまりに頻繁に過程におけるコミュニケーションや相互作用を重視しすぎるため、作品やプロジェクトの視覚的側面を軽視しがちであると指摘する。この問題に対する彼女の対案は、敵対の概念をSEAに導入することであった。アートと社会的なもの（the social）のあいだにはつねに根絶不可能な緊張関係がある。その緊張関係を「敵対」と捉えることで、ビショップはSEAが芸術的批評と社会的批評を緊張関係において保持することができると主張する。この敵対的緊張関係のなかにこそ、ビショップは社会改良のためのアートの特異なポテンシャルを発見する。

こうした批判も受け止めつつ、SEAは発展してきた。その流れは日本にも波及した。ローカルな文脈で展開されるSEAのプロジェクトは、日本では「地域アート」と呼ばれることもある。この言葉には、やや批判的な含意が込められている。

SF研究者の藤田直哉は、論考「前衛のゾンビたち」（2014）において、「地域アート」という言葉を最初に使用した。同論考の副題が「地域アートの諸問題」であったことからもわかるように、「前衛のゾンビたち」は、アート・プロジェクトとして各地で展開される芸術実践の問題を――その一定の意義や効果は認めつつも――批判的に追及した。その要諦は、昨今のアート・プロジェクトはアートが前衛的な社会変革の力を喪失し、地域振興の道具に堕しているのではないかというものであった。◆8

そうした意見に対して、現場で働くアーティストやキュレーターからは多彩なSEAのプロジェクトを「地域アート」というアンブレラ・タームで十把一絡げに論じることへの疑義が出された。批判者たちは藤田の批判が適切である事例があることを認めながらも、単なる「地域振興の道具」とは異なるSEAの実例を紹介することで、個々のプロジェクトを丁寧に検証する必要性を提唱する。◆9

このように様々な意見が交渉を重ねるなかで、SEAの重要性は日本でも認知され始めている。その一例として、川村文化芸術振興財団による「ソーシャリー・エンゲイジド・アート支援助成」が挙げられる。この助成は2017年に創始され、2023年現在も継続されている。琴仙姫による「朝露」プロジェクトも、この助成の支援を受けて展開された。そうした動きには、すぐに目に見える結果が出るとは限らない、芸術の社会的実践に長期的な期待を寄せる心性が垣間見える。

ポストコロニアリズムの時代におけるSEA

最後に、帰国事業を含む「ポストコロニアルな」問題に対してSEAが有する可能性を示唆して本稿を閉じる。

「朝露」プロジェクトの起点である北朝鮮帰国事業は、東アジアの「ポストコロニアルな」問題である。「ポストコロニアル」という用語は文字通り「植民地以後」を意味し、過去の植民地主義が引き起こした様々な問題に関係していることを表す。北朝鮮帰国事業と密接に関連する在日コリアンの問題は、19世紀後半から第二次世界大戦にかけて、帝国日本の植民地主義政策が生み出したポストコロニアルな問題にほかならない。

文化研究者の酒井直樹は、「植民地的想像力」という概念をポストコロニアルな東アジアの脈絡において理論化する。[10]この想像力の突出した現出として、彼は「日本人と朝鮮人の想像的関係」に言及する。その想像された関係は、帝国日本の崩壊後も二項対立的な配置に基づいて日本人と朝鮮人の関係性を構成しており、それは日本社会に広がる「在日」コリアンへの差別の核心に残存すると酒井は指摘する。この問題含みの想像力は、日本において韓国人に対する虚偽の優越意識を形成し、日本人と「在日」コリアンの相互的不信を増長してきた。

そのような意味で、東アジアでは「精神の脱植民地化」が急を要する。それは、ポストコロニアル理論家のアシシュ・ナンディが「植民地主義の第二の形式」と呼ぶものに抗する。ナンディは、政治的な実効支配の終焉後、私たちの精神を拘束する植民地主義の存在を照らし出した。[11]

言語的な違いを乗りこえ、アートの視覚性の力は東アジアの文脈において植民地的想像力に挑戦するための利点を有する。つまり、アートは鑑賞者の想像力を刺激することによって、植民地的想像力が構成する排他的な認識論を明るみに出す。「朝露」プロジェクトもまた、こうしたポストコロニアリズムの時代におけるSEAとしての芸術の可能性を体現している。

1——菊池嘉晃『北朝鮮帰国事業——「壮大な拉致」か「追放」か』中央公論新社、２００９年。

2——テッサ・モーリス＝スズキ著、田代泰子訳『北朝鮮へのエクソダス——「帰国事業」の影をたどる』朝日新聞出版、２００７年。

3——Sonia Ryang, *Koreans in Japan: Critical Voices from the Margin* (Routledge, 2000).

4——Miki Y. Ishikida, *Japanese Education in the 21st Century* (iUniverse, 2005).

5——Nato Thompson, *Living as Form: Socially Engaged Art from 1991-2011* (MIT Press, 2017).

6——パブロ・エルゲラ著、アート&ソサイエティ研究センターＳＥＡ研究会訳『ソーシャリー・エンゲイジド・アート入門——アートが社会と深く関わるための10のポイント』フィルムアート社、２０１５年。

7——クレア・ビショップ著、大森俊克訳『人工地獄——現代アートと観客の政治学』フィルムアート社、２０１６年。

8——藤田直哉『地域アート——美学／制度／日本』堀之内出版、２０１６年。

9——十和田市現代美術館『地域アートはどこにある？』堀之内出版、２０２０年。

10——Naoki Sakai, “Asia: Co-figurative Identification” in Yasuko Furuichi, *Shaping the History of Art in Southeast Asia* (The Japan Foundation Asia Center, 2017).

11——Ashis Nandy, *The Intimate Enemy: Loss and Recovery of Self Under Colonialism* (Oxford University Press, 1983).

『朝露』についてのノート

岡田有美子

1

琴仙姫は当初「朝露――日本に住む脱北者とアーティストとの共同プロジェクト」としてこの企画を立ち上げた。その後、リサーチを進めインタビューを重ねたのち、最終的には「朝露――日本に住む脱北した元『帰国者』とアーティストとの共同プロジェクト」をタイトルに選んだ。

現在日本に住む脱北者は、そのほとんどが「帰国事業」によって、日本から北朝鮮へと渡った元在日コリアンとその子孫たちだということ、「帰国」したものの中には元々北朝鮮出身ではないひとびとも含まれているため帰国者には「」をつけること、話をうかがう中で「脱北者」というレッテルへの嫌悪感を何度も聞いたこと……などがその理由であり、タイトルを吟味することは、このプロジェクトの重要な要素でもあった。

しかし、竹川宣彰のプロジェクトのように「日本に住む脱北した元『帰国者』」という定義には厳密には当てはまらない方たちも参加している。「脱北していない『帰国者』」の父を持つ、「日本に住んでおらず脱北した」キム・ミョンジュさんは鳥取出身の父から聞いた記憶をたよりに鳥取を歩いた。また、琴が話を聞かせてもらった方の中には「脱北した元『帰国者』の『日本人妻』」もおり、彼女の置かれた立場もまた異なる。

そして「日本に住む」といっても、北に残る家族に危険が及ぶのを恐れ身を隠さざるを得なかったり、脱北の過去を知られることで在日同胞からも、そうでないものからも差別されるという経験から、どこにも居場所がないと感じている方たちを留保なしに「日本に住んでいる」と言えるのか。結局のところタイトルは、どれほど一つひとつの言葉を吟味しても、その言葉からこぼれ落ちてゆくものを露呈する矛盾として存在する。

2

日本にいる脱北した元「帰国者」と向き合うということは、時に、〈トラウマ〉に触れることでもある。本格的にこのプロジェクトが始動した2019年の時点では、まず一人の元「帰国者」の方に会えるのかどうか、どうやったら会えるのかもわからなかった。

琴は、同じテーマに取り組む作家として、竹川宣彰と山本浩貴に声をかけ、山本は高川和也に声をかけた。そうして少しずつこのプロジェクトに関わる人は増え、作家はそれぞれ元「帰国者」の方々と関わりを持つこととなる。

各作家がどのように元「帰国者」の方と出会ったか、は今回発表された作品の核心部に関わる。琴は多くの資料をあたり、当事者や支援者の集まりに出かけ、出会った方々に率直に相談していく中で、15名の元「帰国者」の方に話を聞いた。またアーカイブ資料の海を分け入り、今となってはもう直接には聞くことのできない声にも耳を傾けようとした。

竹川は本の一節に直感的に可能性を感じ、著者に直談判することから始めた。実現した「帰国者」の娘である彼女たちとの濃密な旅は、今も北に暮らし、そこにいないお父さんが導いてくれたものでもある。

山本と高川は、琴の紹介で出会った一人の元「帰国者」とじっくり向き合い、何度も彼の下に通ううちにふとこぼれた夢の話を丁寧に聞いていくことで、存在の不確かなある「顔」と出会うことになる。それぞれが、元「帰国者」としてではない固有の名を持つ他者と、その生に連なるもう一人の他者へと触れようとしているように見える。

3

『環状島=トラウマの地政学』[1]で宮地尚子は戦争、虐待、植民地下などにおけるトラウマについて「語ること」をめぐる関係者(当事者、支援者、加害者、傍観者、代弁者、研究者、全く興味を示さないひとびと……)のポジショナリティを、陸地に囲まれた、内海をもつドーナツ状の島としての環状島モデルに沿って考えている。内海には発話できない当事者が沈み、内斜面にいてトラウマについて語る「当事者」、外斜面にいる「支援者、研究者、代弁者」、外海にいる「傍観者」、内海の上空にいる「加害者」らの位置は、発話の状態を示し、雄弁さは山の頂上が頂点となる。またそこには人間関係の衝突、世間からの風当たりなどによる「風」やトラウマの長期的な影響である「重力」、トラウマに対する社会の否認や無理解の程度を示す「水位」があり、斜面にいるひとも、いつでも「内海」や「外海」に転がり落ちたり、社会の認知によって水位の方が上がってきたり、下がってきたりする。また、支援者が内斜面に転げ落ち、当事者になることも稀にある。

他者の痛みを伴う経験を前に当事者か非当事者か、という二項対立は何度でもあらわれ、しばしばその衝突が新たなトラウマを生む。しかし、環状島に立っていると考えるのならば、誰が当事者で誰が非当事者かという境目は自明のものでなくなる。その立ち位置は「風」や「重力」によって、自身の歩く速度や方向によって常に流動している。展覧会で作品を発表するということは環状島の土を踏むことだ。ここは水位が高く、小さな島としての形状をかろうじて保っているが、島の大きさに対して

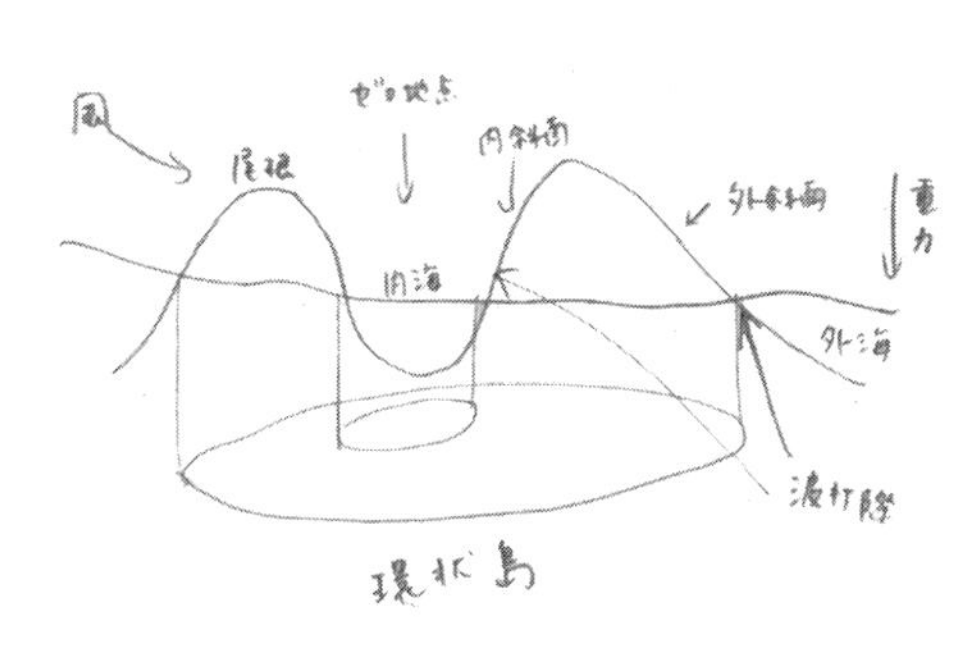

宮地尚子による環状島の図を筆者がスケッチし、
波打際の位置を書き加えたもの

アンバランスなほど大きな内海を抱えてもいる。元「帰国者」をめぐっては日本に存在することがほとんど認知されていない上に、「地上の楽園」として帰国者を募った体制を非難するために政治的に利用する向きもあり、ゆえに日本でも秘密を抱えて生活せざるを得ず、抱える痛みもある。また、悲惨な話を求める聞き手の欲望を前に内海へと沈む、明るい声もある。

4

2020年の2月半ば、鳥取在住の私は竹川さんとともに韓国から鳥取にキム・ミョンジュさんらゲストを迎えていた。新型コロナウイルスはまだぎりぎり身近な脅威ではなく、私たちは2台の車に相乗りし（マスクなしで）旅をした。戦後帰国を待ち望んだ人たちがたどったのと同じように、鳥取市から境港市の方向へ東から西へ、朝鮮半島のより近くへと海の向こうの対岸を感じながら移動した。途中、新鮮な鶏肉が売りの焼き鳥屋に行くと、半生の焼き鳥が出てきた。ゲストたちは生が苦手なようで、よく焼いてとお店の人に伝えると今度は黒焦げの焼き鳥が出てきて苦笑した。

2001年に就航したソウルと米子空港を結ぶ便は、急速な日韓関係の悪化の影響で、彼女たちが来鳥する約4ヶ月前から運休していた。鳥取県境港と韓国の東海市（からウラジオストク）を結ぶ船も同様に11月末から運休し、その後新型コロナウイルスの影響で再開できず、そのまま廃止となった。そのため、彼女たちは東京を経由し新幹線と急行列車を乗り継いで鳥取までやってきた。現時点では航空便再開の目処もたっていないため、鳥取と韓国を直接行き来することが今後もできるのかはわからない。以前は境港に北朝鮮籍の貨物船が海産物などを積み下ろすために寄港しており、1992年から境港市と北朝鮮の元山市は姉妹都市提携も結んでいた。2000年と2002年には当時の片山善博県知事が訪朝し、実現はしなかったが北朝鮮との定期航路の開設を目指して交渉をしたこともあった。しかし2006年の北朝鮮の核実験をきっかけに、定期航路どころか姉妹都市提携も解消することになった。そして今回、どうにか維持されてきた韓国への海路もついになくなってしまった。

3月末に開催予定だった「朝露」は新型コロナウィルスの影響で6月に延期となり、さらに11月へと再延期になった。鳥取から東京へ行くには大きな制約が伴うようになり、産後すぐだった私は結局展覧会に行けなかったが、私の仕事は樋熊冬野さんと宮川緑さんが引き継いでくれた。このパンデミックを経て、地方と都市、そして地方と海外との分断はより一層深まっている。90年代のソ連崩壊後に日本海沿岸部でにわかに盛り上がった「環日本海」の思想をもとに続けられてきた鳥取と環日本海地域との交流も、どんどん難しくなっている。このような時こそ、対岸の方を向き、個人的な動機や繋がりをもとにした「非正規」の往来を続けたい。

5

「ソーシャリー・エンゲイジド・アート」と呼ばれてきたものの中には、社会的なミッションの達成やインパクトを重要視するために、美しさや作家個人の作品であることを放棄、もしくは徹底的に避けようとするものもある。

例えば、今回の場合も直接当事者の支援プログラムを行うようなプロジェクトもありえたかもしれないし、4名のアーティストが積極的なコレクティブとしてひとつのプロジェクトに向かい、よりはっきりしたヴィジョンを見せるという可能性もあったかもしれない。しかしながら今回の「朝露」は最終的に作家それぞれが「作品」を制作し展覧会を行うという、従来のスタンダードな美術展の形式をしている。

当初、このメンバーが集まった時点ではどのように転がっていくのかは予想もつかなかった。それぞれ前からよく知っている間柄でもないし、集まったところで話が盛り上がることもなく、ぽつりぽつりと話し、大きな声で導く人もいなかった。一緒にお酒を飲むことはほとんどなく、打ち合わせの際はコーヒー1杯で長時間話したり、互いに気を遣いながらぎくしゃくした緊張感がつきまとっていた。

かなり後になってから、琴が自身の個人的な被害者意識を他の作家たちにぶつけてしまっているのではないかと悩んでいたと知り、このプロジェクトはまず「在日女性」としての琴からの問いを「日本人男性」としての他の作家たちがどう引き受けるのか、という内部のポリティクスが大きく横たわっているということをあらためて認識することになった。

6

在日社会で生まれ育った琴が、しかしそのコミュニティや自身の家族との複雑な関係の中で孤立してきたことは彼女の過去の作品から読み取れる。そんな彼女が日本に住む脱北した人たちのおかれた状況を知り、在日コミュニティの中での孤立に心を痛めたこと、同胞として助け合えたらいいのに、と考えてきたことがこのプロジェクトの出発点にはある。しかしそれを実行に移すことは、彼女の家族や親戚との関係を考えれば、並大抵のことではなかった。

韓国出身で日本でラッパーになったMoment Joonは、「在日」という言葉をめぐり「あなたが『何となく分かっている』ものは、実はあなたが想像するよりももっと複雑で敏感です、と理解させるのが芸術家の仕事です」[2]といった。

今回のプロジェクトについて「脱北」「帰国」「在日」といった言葉と、その言葉を抱えて生きる人たちをめぐる「複雑で敏感」な事柄について、複数の作家が合意を形成し、しかもこの短期間で一緒に何かをまとめていくというのは、そもそも無理があり、より大きな傷を生む可能性もあった。しかし琴は一人では抱えきれず、他の作家たちを誘ったのだと思うし、他の作家たちにとって琴の依頼を受け止め、彼女の視線を感じながら制作を進めることは重要だった。

その上でそれぞれが出会った方との距離を慎重にはかりながら、向き合った現時点での逡巡を「複雑で敏感」なままに複数提示するというのが、このプロジェクトのかかげる「共同」の大きな意味だったのかもしれない。たくさんの人を巻き込む形でもなければ、大きな社会的インパクトやメッセージはないかもしれない。しかし、大きな声のコレクティブが行き着く先には既視感がある。そうではなく逡巡しながら、かよわい連帯のようなものを続けることはできないだろうか。

1――宮地尚子『環状島＝トラウマの地政学』2007年、みすず書房。
2――Moment Joon『日本移民日記』2021年、岩波書店、129頁。

図版—作品解説

「朝露」展示風景　Morning Dew Exhibition View
BUoY Arts Center Tokyo, 2020

琴 仙姫
Soni Kum

《朝露 Morning Dew – The stigma of being "brainwashed"》
2020　3チャンネル・ヴィデオ・インスタレーション　60分

琴 仙姫
Soni Kum

—

朝露 Morning Dew - The stigma of being "brainwashed"

2020　3チャンネル・ヴィデオ・インスタレーション　60分

この映像作品は2019年7月から2020年7月にかけてお会いした、日本に住む脱北した元「帰国者」15人との体験をもとに制作した。元「帰国者」とは、北朝鮮に移住する以前は日本で暮らしていた在日コリアンを指す。元「帰国者」の方々は現在の日本において、在日コミュニティの中にも居場所がなく、北朝鮮に残された家族が収容所に連れて行かれるかもしれないという恐怖、さらには近所の人や知り合いに自身が脱北した者であると知られ差別される恐れを感じており、作品の中で顔を撮影できない方が多いという現実に直面した。このアポリアの中、俳優を起用して撮影した映像、アーカイブ資料、友人から寄贈された映像、オンラインからダウンロードした映像など、雑多な映像を使用し、3面スクリーンで構成される映像作品を制作することにした。

アーカイブ映像は、映した人も映っている人のことも直接は知らない。おそらく多くの人々は既に他界していると思われる。このような数多の人々とのコラボレーションによって、1編の映像作品を綴った。断片的な暴力の痕跡をイメージ・モンタージュで追うこの映像詩は、この期間、とりとめなく浮かんできた場面、シークエンスを映像として再構築したものだ。(琴仙姫)

Volcano Island｜火山島

櫻正宗

Hero on the Hill ｜丘の上の英雄

Bride's March | 花嫁の行軍

Ghost Dance

朝露｜Morning Dew

竹川宣彰

Nobuaki Takekawa

《トットリころころ》2020　インスタレーション

竹川宣彰
Nobuaki Takekawa

—

トットリころころ

2020　インスタレーション

1　本との出会い──『脱北者たち』申美花

琴仙姫さんから紹介された資料やシンポジウムを中心にリサーチする中で、90年代北朝鮮の「惨状」を日本側が消費していたことは無視できないと考えるようになった。脱北者が体験記の出版時に編集者から楽しいエピソードを除外するように言われた、という話も聞いた。関心の低い人権問題の拡散にはやむをえなかったかもしれないがその代償をいま在日社会が支払わされていることには注意しなければならない。帰国事業を顧みること自体が在日社会にストレスと分断をもたらす。朝露プロジェクトもそうした難しい場所に立っている。

今回集めた資料の中で『脱北者たち』（申美花）がユニークなのは脱北者の北朝鮮での苦しい体験を主題にするのではなく、脱北後の「成功」を取り上げることで他の脱北者や関連事業を鼓舞しようとしている点である。この本は、Amazonで「脱北」で検索して本を数冊買った時に「混入」したものだった。朝露プロジェクトは日本に住む脱北者や日本人妻、その背景にある帰国事業に焦点を当てるプロジェクトである。「混入」したこの『脱北者たち』は韓国への脱北者またはその

支援者についての本だった。本の中に帰国事業との関連が一箇所だけ登場する。「脱北者の命を守るプロ」チョン・ギウォン氏の章に、被支援者として取り上げられたキム・ミョンジュ氏の祖父母と父親は鳥取から帰国事業で北朝鮮に渡った人だということだった。良い意味で独特な本の中でこそ知ることができたキム・ミョンジュ氏に連絡を試みることから朝露プロジェクトの制作をスタートしたいと考えるようになった。キム・ミョンジュ氏は韓国在住、彼女の父は鳥取出身北朝鮮在住。それらの隔たりを、人間の想像力を喚起させるアートに置き換えることが私の役割だと考えた。

2　韓国在住のキム・ミョンジュ氏を鳥取へと招待する

キム・ミョンジュ氏の「家族」と「人生」

祖父母はチェジュ島出身で植民地時代に大阪に移住。戦後、朝鮮総連に入る。鳥取に移住。

キム・ミョンジュ氏の父親が14歳の時に帰国事業で北朝鮮に渡る。

1998年　18歳の時に「苦難の行軍」以降の生活苦の中で脱北。脱北した中国側で韓国企業に勤める韓国人と同棲し身ごもる。
2000年5月　妊娠7ヶ月の時に韓国への密航を試みたが船が北朝鮮領海に迷い込み逮捕され赤子はおろされてしまう。
2000年6月　南北首脳会談を記念する恩赦で釈放。再び中国へ渡り夫と再会。再び子供を授かる（早産で脳性麻痺）。韓国人の新聞記者に韓国で息子に治療を受けさせたいことを打ち明ける。
2007年　7歳の息子を置いてタイへ脱北。脱北者の支援活動をしているチョン・ギウォン牧師と出会い支援を受ける。以後、韓国で生活。息子は手術を受けることができた。

いつかは父の代わりに父の恋しくてやまない鳥取に必ず行ってみたいです。父からは鳥取の美しいビーチで遊んでいた思い出話を聞かされたので、どこに行けば何があるのか、すべて頭の隅に刻まれています。父に「お父さんの故郷へ行ってみたよ！」と報告できればどんなに喜ぶだろうか

（申美花『脱北者たち』）

韓国への脱北を経験したキム・ミョンジュ氏が北朝鮮に残してきた父親を思いながら綴った言葉である。彼女の父親は在日朝鮮人として14歳の時に帰国事業で北朝鮮に渡った。私が既に鳥取県のアート関係者と繋がりを持つことや「朝露」への参加を引き受けていた中で、このキム・ミョンジュ氏の言葉が私の責任を問いかけるかのように響いてきた。そこで著者の申美花氏に相談し、彼女が取材を通じて築いていた信頼関係に頼るようにしてキム・ミョンジュ氏（を含むソウルのドゥリハナ教会の4名）を鳥取に招待する企画を立ち上げることができた。

そこには一つの課題もあった。「故郷」は鳥取県に数ある「美しいビーチ」の中のどこなのか。事前調査では県立美術館・博物館、県立公文書館、日本赤十字や多くの方に協力して頂いたが結局は特定できなかった。しかし関わってくれた人々の緩やかなネットワークが後に韓国からの4名の訪問を親切に受け止めてくれることになった。

2020年2月16～20日、4泊の行程で韓国からの4名を鳥取県に迎え「お父さんの故郷」としての様々な海辺を訪れた。旅の中でも鳥取県内の在日朝鮮人と帰国事業について、あるいは鳥取と朝鮮半島の歴史上の交流について皆で学んだ。政治と歴史に引き裂かれた彼女の

人生を受け止めながらも、私たちのグループはいつの間にか暖かい雰囲気を共有していた。そして夢のような5日間はあっという間に過ぎ去った。

作品《トットリころころ》

倉吉市に伝わる上神焼はかつて庶民用の雑器として親しまれた。キム・ミョンジュ氏のお父さんも使っていたかもしれない。故郷の土を焼き物としてお父さんにプレゼントすることも想定し、上神焼3代目中森清氏の工房では皆でどんぐりのオブジェを制作した。どんぐりは朝鮮語で「トットリ」と言う。故意か偶然かは分からないが北朝鮮で生まれた娘にお父さんは「どんぐりころころ」の歌を教えたのだそうだ。あらためて歌詞を読むと「しばらく一緒に遊んだがやっぱりお山が恋しいと泣いてはどじょうを困らせた」の部分が悲しげに響く。

現地制作の上神焼に私の埼玉のアトリエで制作した焼き物も加え、「どんぐりころころ」の池、日本海、旅の思い出を重ね合わせて水景としてインスタレーションした。床面に敷いたのはキム・ミョンジュ氏が砂浜に描いた日本海の地図の写真（66頁）である。

66-71頁の写真は鳥取旅行で撮影されたスナップ。これらの写真はスライドショーのかたちで、旅の栞とともに資料展示コーナーに展示された。

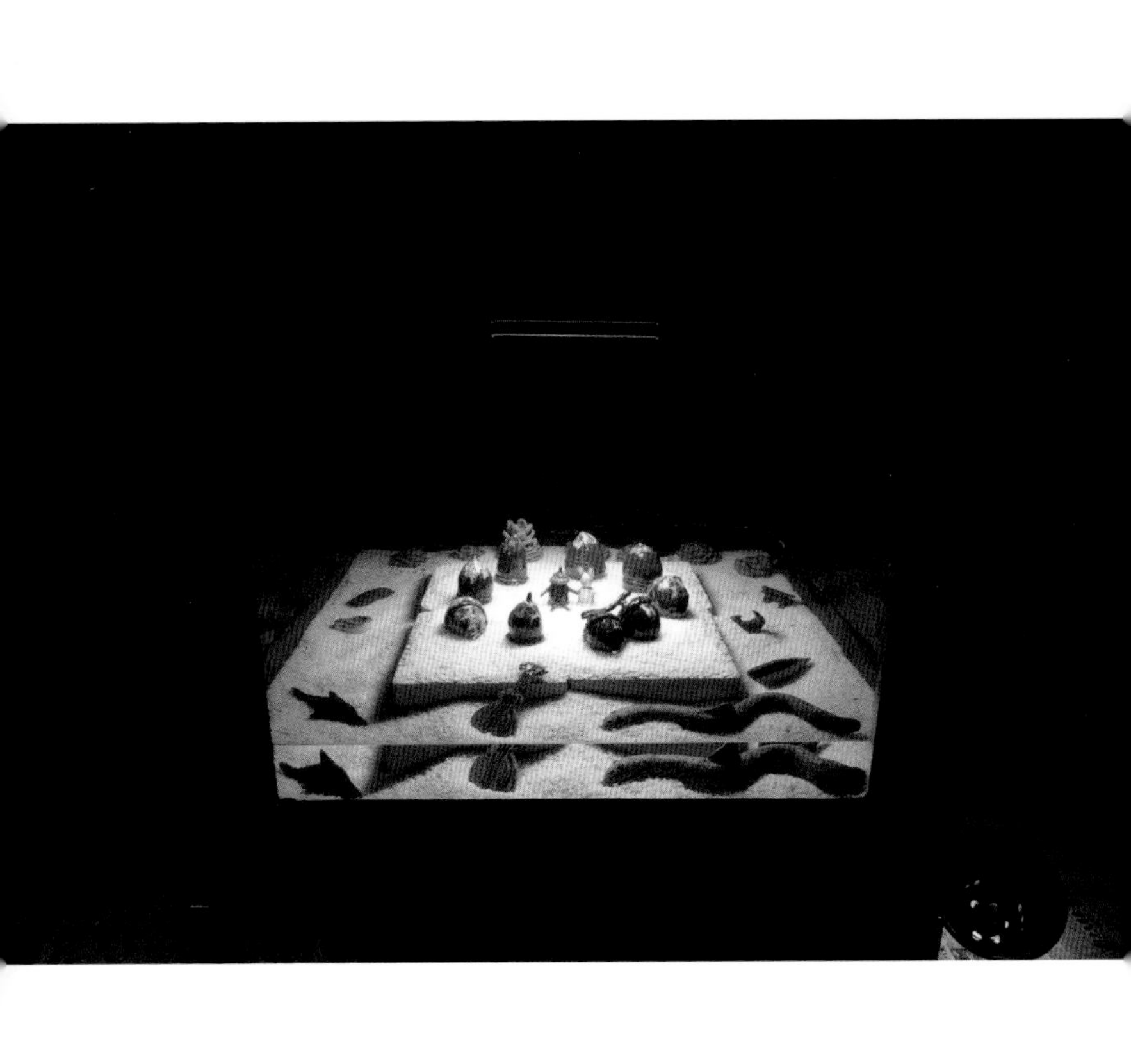

現地制作の上神焼のどんぐりに、竹川が埼玉のアトリエで制作した焼き物を加えたインスタレーション

床面に敷かれたのは、キム・ミョンジュ氏が砂浜に描いた日本海の地図の写真

（右）日本海を背に写真を撮る金明珠さん
（左）ＪＲ鳥取駅で駅名板を撮る金さん
＝いずれも鳥取市

アッパ（お父さん）愛した鳥取 見せたい

北朝鮮帰国事業60年

約9万人の在日コリアンらが日本を後にした北朝鮮帰国事業が始まってから60年余。帰国者の父を持つ女性は北朝鮮で生まれ、その後韓国へ逃れた。そして今回、北朝鮮に残し、会えないままになっている父の故郷の鳥取県を初めて訪れた。自らのルーツがあるまちで、彼女は何を感じたのか。

2月中旬のある夜。女性は特急列車からJR鳥取駅に降り立つと、すぐさまバッグからスマートフォンを取り出し、撮影を始めた。「鳥取」の駅名板、乗車口を案内する標識、時刻表……。目に入るものは何でも撮った。「アッパ（お父さん）がどれだけ喜ぶか」

神社で父がもう一度鳥取に来られるように祈る金さん

女性は、金明珠さん(41)。祖父が植民地時代に日本に移住した。父は鳥取県で生まれ育ち、帰国事業で10代半ばの時に一家で北朝鮮へ渡った。父は現地の女性と結婚し、1979年に金さんが生まれた。金さんは10代の時、食料の配給がなくなったことなどに耐えきれず、親族と一緒に脱北した。両親は北朝鮮に残った。金さんは現在、韓国籍の夫、3人の子どもと韓国で暮らしている。

手がかりは「海」

今回、金さんは鳥取市に着いた翌日、海岸を訪れた。日本海を目にした金さんは、海に向かって走り出し、スマホで動画を撮影し始めた。「アッパ。ここがどこの海か分かりますか。アッパが言っていた海ですか」

父は酒に酔うと、鳥取の海の思い出をよく話していた。「鳥取の海は本当にきれいだよ」「魚をモリで突いて、よく遊んだ。鳥取にもう一度行きたい」と。

鳥取県に滞在中、金さんは在日コリアンが多く住んでいた地域の近くの海をいくつか訪ねた。父の故郷を探す手がかりは「海の近く」ということだけだ。

身近な日本文化

金さんは幼い時から、日本の文化に親しんでいた。自宅にはこたつがあった。ポットでお茶を入れるのも、北朝鮮の家庭では珍しかった。

家族残し脱北の女性 父の故郷巡る旅

北朝鮮帰国事業

日朝の赤十字の合意に基づき、1959年から84年までに在日コリアンや日本人配偶者ら9万人余りが海を渡った。北朝鮮側が社会主義体制の優位性を宣伝していたことや、在日コリアンが日本で差別や貧困に苦しんでいたことが背景にあった。

その後、北朝鮮での生活に耐えられず脱北し、主に中国を経由して日本や韓国に逃れた人もいる。

母は祖母から作り方を習ったいなりずしを、学校に持って行く弁当に詰めてくれた。コチュジャンを付けた朝鮮風いなりずし「トゥブパブ（豆腐ごはん）」は、後に北朝鮮でも人気になったという。

旅の間、金さんは日本語で石川さゆりさんの「津軽海峡・冬景色」と童謡「どんぐりころころ」をよく口ずさんだ。父たちも家で窓やカーテンを閉め、日本の歌を歌っていた。金さんは日本語を話せないが、この2曲は耳に残っていた。

支援者の活動で東京と大阪には訪れたことがある。だが今回、鳥取に来て初めて、自らのルーツが日本にあることを感じたという。

鳥取市内を歩きながら、金さんはふと考えた。もし自分が鳥取で生まれていたら、どんな生活をしていただろう。「カニを売るおばちゃんになっていたかしら」。市場でそう思った。

10年連絡取れず

金さんが今回、鳥取を訪れるきっかけになった本がある。韓国出身の申美花・茨城キリスト教大教授(61)が、脱北者たちのその後を追った著書「脱北者たち」。この本で、金さんが鳥取行きを希望しているのを現代美術家の竹川宣彰さん(42)が知り、金さんを招待するプロジェクトが始動した。

父が持っていた書類に出生地として「鳥取県」と書いてあったのを覚えているが、住所までは知らない。竹川さんらが、県の公文書館や日本赤十字社などに問い合わせるなどして手がかりを探したが、住所は結局、分からなかった。

父と最後に仲介者を通じて電話で話したのは約10年前だ。いまも北朝鮮で生きているとは聞いている。次にいつ電話できるか分からない。最近は、仲介者を通して写真や動画を渡すことも可能だという。

「写真や動画をいっぱい見せてあげたい。もう一度故郷の姿を見られるなんて思ってもないだろうから、きっと泣くだろうな」

またいつか父と話す機会があれば、今度は父の生まれた住所を必ず聞くつもりだ。そして、今度は、3人の息子たちと訪ねようと思っている。

（笹山大志）

鳥取の旅に同行取材した朝日新聞記者・笹山大志氏の記事（右）と展示風景（左）

山本浩貴＋高川和也
Hiroki Yamamoto + Kazuya Takagawa

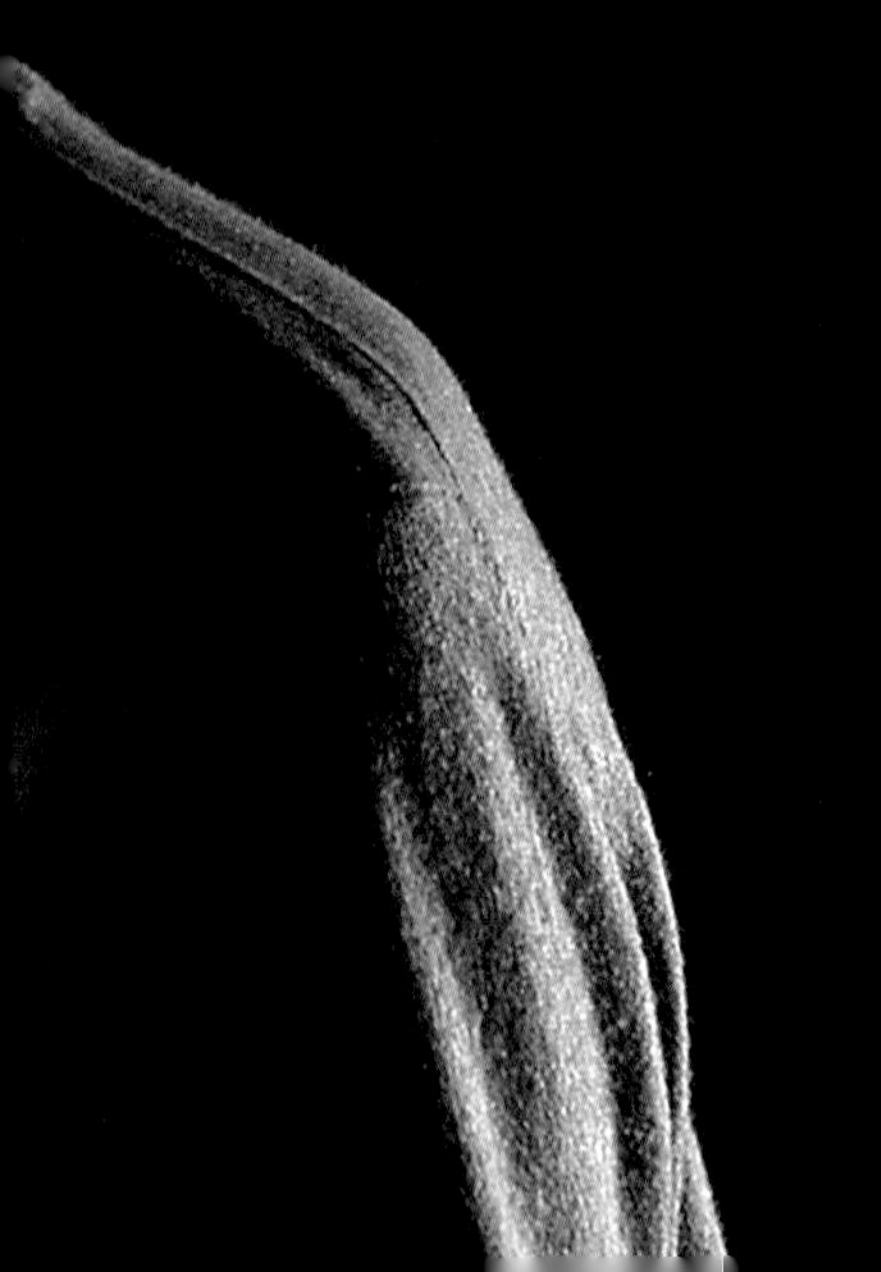

《証言》2020
ヴィデオ・インスタレーション
24分

山本浩貴＋高川和也

Hiroki Yamamoto + Kazuya Takagawa

—

証言

2020　ヴィデオ・インスタレーション　24分

1957年に執筆された『空間の詩学』において、ガストン・バシュラールは「偉大なイメージにはみな底知れぬ夢の根底があり、この夢の根底に個人の過去が特殊な色彩をほどこしている」と述べた。この想像力豊かなフランス人哲学者が言うように、ある人物が思い描く現実の「イメージ」は、その人が見る「夢」と複雑に絡み合っているのかもしれない。そして、その錯綜した絡まり合いのなかに、どのように「個人の過去」は貫入してくるのだろうか。はたして芸術は、その「ゴルディオスの結び目」を解きほぐすことにどこまで有効な手段であろうか。

2019年の秋から、僕たちは元「帰国者」の男性へのインタビューを開始した。1960年代初めに日本から北朝鮮に「帰国」した彼は、2010年代半ばに日本へと「脱北」してくることとなった。北朝鮮での生活や脱北の経緯を尋ねるインタビューは順調に進んだが、ある場面に遭遇して僕たちは大きな困惑を抱えることになった。インタビュー中に「アイスブレーク」のような役割で何気なく投げかけた質問に対し、男性は堰を切ったように語り始めたのだ。その質問とは、「北朝鮮で見た印象的な夢を教えてください」というきわめて単純なものであった。彼が教えてくれた夢の内容は、どこからが夢で、どこからが現実かも判別しにくい一風変わったものであった。

そこで僕たちは彼が見た夢を深く、できるだけ深く掘り下げていくことにした。その夢は、彼がその身をもって体験した戦後の日本や北朝鮮の現実と、どのようにつながっているのだろうか。あるいは、つながっていないのか。敗戦後に日本が夢見た「民主主義国家」というイメージ、あるいは朝鮮戦争による南北の分断を経て北朝鮮が夢見た「地上の楽園」というイメージは、男性が見た不思議な――少なくとも僕たちにはそう思われる――夢の一部をなしていたのだろうか。そして、その夢を包摂する大文字の歴史(もし、そのようなものがあればの話だが)は、彼の存在をいかなる仕方で拘束しているのだろうか。

夢は現実の「証言」たりえるのだろうか。しかし、もし現実と夢がひとつの絡まり合いを形成しているのであれば、なぜ夢が現実(少なくともその位相の一部)を証言してはいけないのだろうか。そもそも、夢と現実のあいだに明確な境界線など存在するのだろうか。

最後に、こうした試みのすべては僕たち自身に何を投げ返してくるのだろうか。(山本浩貴+高川和也)

展示された切手の拡大図

表

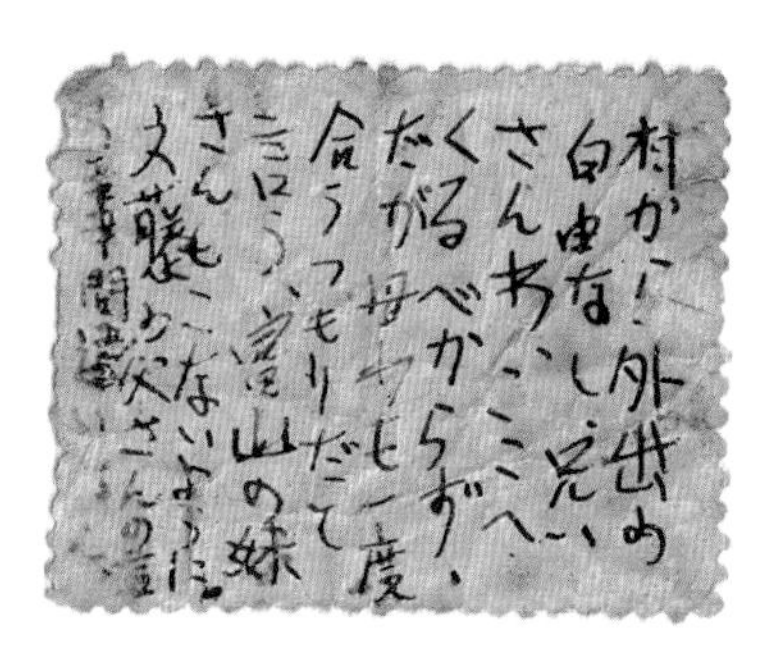

裏

木下公勝さんについての説明とともに、木下さんが描いた絵が展示された。

木下公勝さんについて／木下公勝さんは、1960年、まだ10代半ばのときに両親に連れられて帰国事業で北朝鮮に渡りました。その後、北朝鮮での45年以上の生活を経て、2006年に「脱北」を決意し、日本に戻りました。現在も北朝鮮に親族を残しているため詳しいプロフィールを明かすことができませんが、日本に「帰国」した後は様々な場所で数多くのレクチャーや講演を行い、北朝鮮の実情について発信してきました。2016年には「北の喜怒哀楽 45年間を北朝鮮で暮らして」（高木出版）と題された書籍を出版し、そこで自らの半生を独特の語りで綴っています。

「夜の休息は私達のためにあるのではない。
それは私達が所有するものではない。睡眠は私達の中に幻影の宿を開く。
朝になるとその影を取り払わなければならない」

ガストン・バシュラール『水と夢—物質の想像力についての試論』

展示資料スペース
Exhibition Space for Research Materials

申美花
脱北者たち
ご自由にご覧ください

さまざまな「夢」が繋ぐ「朝露」プロジェクト

近藤健一

2019年6月、知人の登壇をきっかけにたまたま聴講した東京藝術大学で開催のシンポジウム「ソーシャリー・エンゲイジド・アート 琴仙姫の『朝露』プロジェクトについて」。そこで私ははじめて200余人の脱北者が日本で暮らすことを知る。歴史的にみて、日本人である私は抑圧する側に身をおき、在日コリアン問題の原因を作った集団に属することになる。罪の意識を感じつつ、自分の曾祖父母、祖父母の世代が行った過ちを反省することはできても、自分が今、それに対して何ができるのか明確な答えがない苛立ちに加え、このシンポジウムでは自分の無知を恥じた。在日コリアンの中の南北の差異や日本化のグラデーションはなんとなく聞いていたが、「夢」を思い描いて北朝鮮に移住後脱北者となり二重のマイノリティとなってしまった人々がいることに衝撃を受けた。

それから約1年半後、私は展覧会「朝露」を訪れた。3組の現代美術作家が、脱北者との対話を重ねて制作された新作を発表する本展は、いわゆるオーソドックスな美術展とは趣が異なっていた。作品自体に加えて北朝鮮帰国事業を推進した雑誌の記事や北朝鮮や脱北者に関する書籍など参考資料も大きな空間で多数展示されていたからである。私のような無知の鑑賞者に対してもこの問題を開いていこうとする主催者・企画者の強い意志が感じられた。

本展の中心的作品と言える琴仙姫の《朝露 Morning Dew - The stigma of being "brainwashed"》(2020)は3面プロジェクションで展示される約1時間の映像インスタレーション。作品は在日コリアンや日本在住の元「帰国者」の今日の東京での日常風景から始まり、過去の出来事を表現・表象する多数の映像と現在の風景を混在させて映し出し、最後に現代の東京に戻ってくるという構成であるように見える。戦前に撮影された白黒の記録映像やオンライン上のもの、本作のために新たに撮影されたカットなど、さまざまなソースの映像がコラージュされた壮大な映像モンタージュ詩である。

作品中での無数の映像は、新潟港での帰国船の船出、金日成を称える女性の踊り、新潟の拉致現場といった、直接的に北朝鮮やその地と日本との関係を扱うものもあれば、明治神宮の大鳥居を始めとする神社の鳥居や日本統治下の朝鮮半島の姿を記録した映像など、日本の海外侵略や植民地統治についてのものもある。東南アジア系と思しき人々が登場したり、中国への侵略のシーンが使われたりと、朝鮮半島に限定されないアジアへの日本の侵略と統治を表しているようである。作品では、「火山島」「丘の上の英雄」「洗脳というスティグマ」といったセクション名やアイスキュロス、レーニン、カミュなどの引用のテキストが時折挿入されるが、ナレーションやテロップなど言語による説明が徹底的に省かれている。それらの映像の出典や主題を明示することも敢えて避けられて、明確なストーリーを読み取ることも困難である。例えば、戦争中の自決を示唆するように見えるシーンなど容易に想像がつくものと、昭和時代の日本の遊園地や白人がレジャーを楽しむ海辺など挿入された意図が分からないもの（これらは、実はニュージーランド兵士が撮影した朝鮮戦争の記録映像の中に収録されていたものだそうだ）が混在し、映像3面の組み合わせの意図を理解することができない部分もある。このような本作では、われわれ鑑賞者は、時に映像の意味を理解し、時に困惑を覚える。映像の時代背景も錯そうし、必死に映像と映像の関係を想像しようとするが、謎が解けない場合もあり、夢を見ているかのような錯覚が起こる。これは私にとって、正気と夢見心地、覚醒と無意識、恐怖とやすらぎの間を絶えず行き来するような体験であった。

琴は元「帰国者」脱北者15人の証言を聞き本作を制作したが、作品最後に登場する元「帰国者」の北朝鮮滞在に関する独白以外、その証言のほとんどは作品に直接的には反映されていない。例えば、広大な雪原の中を花嫁が一人歩く美しいシーンが印象的な「花嫁の行軍」というセクションがある。冒頭には元「帰国者」である日本人妻の供述が使われ、私は、このシーンが元「帰国者」の証言に基づき撮影されたものと推測したのだが、実際には、琴が作品の構想を思案中に、中国と北朝鮮の国境沿いにそびえる白頭山に立つ花嫁の姿が目に浮かび映像化したのだそうだ。「花嫁の行軍」というセクション名は、1990年代後半、大量の餓死者を出した北朝鮮の「苦難の行進」に由来するという。このように、本作は脱北者15人の証言が制作のきっかけとなってはいるものの、そこから作家が膨らませたイマジネーションが原動力となって制作されたと言ってよいだろう。

琴の作品と対照的に、山本浩貴＋高川和也《証言》（２０２０）は言語による説明と物語性に富んでいる。元「帰国者」男性・木下公勝氏の一人語りを軸に展開する本作では、韓国系在日コリアンである彼が日本でも差別を受け北朝鮮でも資本主義のブルジョア思想をもっていると差別を受けた話、食料不足の逸話、監視と密告に怯える日々などが、男性の力強い口調により懐術される。その語りに私たちはグイグイ引き込まれることになる。ある時、彼は見知らぬ年上の男性に命を救われる夢を見たことがあり、そのシーンをはっきり覚えていると語る。そして、木下氏が夢の中の命の恩人の顔を思い出し特徴を簡単なイラストと口述で日本人の若者に伝え、若者はその場面をドローイングで再現する。

本作は木下氏の「夢の話は証言になりますか？」という印象的な言葉で始まり、彼が編集済みの本作の映像を見て発する「よくできてますね。現実そのままですね」という言葉で終わる。彼の供述は、真実なのか、嘘なのか、記憶違いなのか、不明なままだが、そもそも夢は完全なフィクションなのだろうか？　絵というメディウムはフィクション製造装置という一面もあるが、真実と嘘を二項対立と考えた場合、本作で描かれた絵はある意味、嘘の嘘だから真実になることがあるのかもしれない、と私は勝手な想像を膨らませた。

竹川宣彰のインスタレーション《トットリころころ》（２０２０）は在日コリアンにルーツを持つ韓国在住の

女性の脱北者を鳥取に招待するプロジェクトを経て制作されたもの。「夢のような5日間」と竹川が形容する鳥取滞在時の体験が作品に反映されている。例えば、どんぐりが朝鮮語で「トットリ」と発音されることもあり、女性の滞在中には陶でどんぐりなどのオブジェが作られ、本作の構成要素となっている。竹川は自分の愛猫の他界を契機に無数の猫が出席するオリンピックの開会式を表現したインスタレーション《猫オリンピック：開会式》（2019）を制作するなど、偶然性が作品に介在することがあるが、本作も同様であろう。

また、竹川の作品の多くはユーモアが感じられ、鑑賞に必ずしも専門知識を必要とせず親しみやすい。本作は、陶製オブジェがユルいトーンであたたかみがあり、砂浜にいい意味で稚拙に描かれた日本海の地図の写真と組み合わされるなど、竹川ならではの作風を強く感じさせる。このように本作はシリアスな展覧会のトーンを和らげる効果があったようにも思えた。また、既述の2作品とは対照的に、本作は直接的には「帰国者」の証言を扱っていない。竹川は作品でしばしば、政治的な表現を一切回避しつつ政治的な主題を扱うことがあるが、本作もその一例ということができるのではないだろうか。

さて、本展を見終わり、私はふと考えた。日本から北に渡った「帰国者」で幸せに現地で暮らしている人はいるのだろうか、と。そして、そのような疑問が浮かんだ一つの理由は自分が「北朝鮮＝拉致、飢餓、餓死」というイメージを持つように（日本のメディアに）「洗脳」されていることなのではないか、と考え始めた。だからこそ、私は琴の長編映像を見ている間もそのようなイメージを探し続けていたのではないか、そして、私が感じた夢見心地は、自分を洗脳から解放する一つの糸口になりえるのかもしれない、とも思った。

本展は大文字の歴史の影に埋もれてしまう、個々人の体験や歴史の忘却に抗う試みであることは間違いない。一方で、オンライン開催のシンポジウムで山本浩貴は史実の重要さを強調しつつも《証言》は木下氏を「脱北した元『帰国者』」という枠組から解放する試みであったと述べている。当時の「帰国者」が持っていた「夢」という概念は、それぞれ違った形で本展の3作品にも読み取ることができるが、その夢を通じてわれわれ鑑賞者が少しでも「洗脳」から解放されることが可能であれば、それは美術の力なのではないだろうか。

「朝露」を思う――東アジアをほどく、作る、越える

松村美穂

はじめに

私は2012年から、イラク戦争に行った元アメリカ軍兵士が日本で証言集会やアートの展覧会をする活動を支援し、そのことについて論文を書いてきた。このような私の研究／運動は、琴仙姫が元帰国者[1]の人々の体験を聞き、それをもとに《朝露》を作ったことと似ているのだと思う。そこから私は、戦争や災害・政治的な抑圧・性暴力など、トラウマティックな出来事を体験した人々の証言を聞き、他の人々に伝えていく、『証言』を証言[2]」する方法を論じられるかもしれない[3]。だが、本稿ではその前の段階として、私が2020年11月8日に北千住BUoYで「朝露」プロジェクトにどのように出会ったのか、そこから何を学んだのかを書いていきたい。この日のことを思うと私は今も、見ることや聞くこと・思うことの仕組みが解体されては構築され、何度も調律されていくような感覚におそわれる。「東アジア」が繰り返し形を変え、「人間」が動物や死者や海や空と近くなるところに「脱帝国」や「脱近代」というアイディアが浮かんでくる。そういうイメ

ージを言葉にしてみたい。

《朝露》を体験する

電車の扉近くに立つ少女は白いチョゴリと紺のチマの制服を着て、本に没頭している。髪に白いものが混じる男性は冬物の茶のジャケットで、ビルのエスカレーターから外に目を遣っている。《朝露》を見ることは、この二人の歴史を思う旅に同伴していくことである。

大きな鳥居をくぐり抜けると少女のまとうものは白いチマ・チョゴリに変わり、3面のスクリーンの右端からモノクロの、過去への旅が始まった。[◆4] 田畑や工場での労働と休暇、婚礼や参拝、避難、家族の団らんと別離、兵士たちの戦闘と死。人々のさまざまな活動の映像に見惚れたり怖がったりしながら、私は、自分の知っている歴史的な出来事を当てはめて物語を組み立てようとした。日本による朝鮮の植民地化、第二次世界大戦と日本の敗北、アメリカと旧ソビエト連邦による朝鮮の占領と分断、済州島四・三事件、朝鮮戦争、在日コリアンを北朝鮮へ送る帰国事業、北朝鮮政府による日本人の拉致事件――。この流れはときどき少女に中断された。彼女は歴史に入り込むように白無垢の花嫁になって行進したり、兵士になって負傷したり、北朝鮮の指導者を称える踊りでぎこちなく笑ったりしていたからだ。旅が現在に近づいてくると、茶のジャケットの男性の声が耳に飛び込んできた。在日二世として生まれ、帰国事業で14歳のときに兄や姉と北朝鮮へ渡ったこと、そこでの生活は日本で宣伝されていたものとは異なっていたこと、1990年代後半に何百万人もが餓死する食糧難があり家財道具を売り払って生き延びたこと。苦しい生活の話は、彼が渋谷の夜景を眺め、歩道橋や交差点を歩き回るなかで続いた。再開発中の街の映像は華やかで、しかしどれだけ歩いてもどこにもたどり着けないような閉塞感もあり、彼の「帰って来られたから、それでもまだましなんですよね」という言葉をどのように聞けばいいのか、私は途方に暮れてしまった。

上映会場のBUoYの地下は、もとは銭湯だったというコンクリートの広いスペースだ。60分のうち40分ほどは語りがなかった。琴の以前の映像作品が、朝鮮語・英語・日本語の混じるところに耳を澄ます体験でもあったのに比べると、《朝露》は一見視覚的なものに思えた。だが、3面のスクリーンを、光を浴びるように見ることは、むしろ身体全体での体験だった。気づくと、そばで鑑賞していた人は誰もいなくなっており、私はしばらく暗いなかを歩き回った。

「朝露」をふり返る――東アジアをほどく、作る

いったい何を経験したのだろう。そう思って私は次の日からBUoYの展示の様子を書き出していった。2

階のスペースの右手の壁には、帰国事業を紹介するパネルが並べられ、北朝鮮という「地上の楽園」では誰もが教育や就職の自由を享受できるといった宣伝や、それらを含むさまざまな自由と権利が当時の在日コリアンに保障されていなかったことの説明などがあった。左手の長机は本棚になっていて、帰国事業の記録、朝鮮戦争や北朝鮮に関する本、日本や韓国で暮らす脱北者の手記、北朝鮮政府に家族を拉致された人々の手記、在日コリアンの作家や韓国人作家による小説、家族の歴史や在日コリアンに関する研究者の本などを読むことができた。◆5 スペースの奥に、脱北した女性の「北朝鮮に残る父の故郷、鳥取県を訪ねる旅」のスライドショー（竹川宣彰《とっとりコロコロ》）が、パーテーションで区切られた小部屋には、脱北した男性が北朝鮮で見た夢のことを語っている映像（山本浩貴＋高川和也《証言》）が流されていた。

　このように並べることで、BUoYの空間は、宣伝や報道や歴史や記録や分析や私信や証言やフィクションや夢など、形式も内容もさまざまな声が一緒に在るように作られていたことが分かった。そこには、今の国家や社会や民族や家族の在り方のなかでは、現れることのできない声や聞かれない声があること、それ自体を表現しようとするアーティストたちの工夫があった。琴は、《朝露》を「俳優を起用して撮影した映像、アーカイブ資料、友人から寄贈してもらった映像、オンラインからダウンロードした映像など」のモンタージュとして制作した理由について、元帰国者の多くが映像に顔を出すことができない状況を打開するためだったと述べている。◆6 彼ら彼女らは北朝鮮に残した家族が収容所に連れていかれるかもしれないという恐怖や、日本で脱北者であることが知られたら差別されるのではないかという恐れを抱いているという。

こうして「朝露」を振り返るうちに、元帰国者や脱北者の家族への思いやその人々へのアーティストたちの思いなど、さまざまな思いが交錯し、堆積し、環流している様子が見えてくる感じがした。私自身もそのなかに入り込んでいるように思えてきた。この「そのなか」とは何かと考えたとき、「東アジア」という地域の名称が浮かんできた。[7]「朝露」は「東アジア」を思い、それをほどいては作り、その過程に鑑賞者を参加させていくプロジェクトなのだ。

この作業は私にとって、日本の帝国を考えることでもあった。たとえば《朝露》には「鮮内中華民国代表」による朝鮮神宮参拝という場面がある。それは日本と朝鮮の関係が、大日本帝国の「大東亜共栄圏」や満州国の「五族協和」に数えられた国々や地域との関係のなかにあることを示している。それら植民地化された地域から日本に渡った人々のなかには、朝鮮から移動した琴の曾祖母や祖父母がいたという。[8]私は、逆方向から重ねるように(対等なものとしては重ねられないが)、朝鮮に行った私の曽祖父母や台湾に行った祖父の移動を思った。また、1945年の硫黄島のアメリカ軍が「日系米人二世」を利用して日本軍に降伏を呼びかけ、朝鮮人は応えようとしたが日本人は拒んだという場面もある。この映像を見たとき琴は、祖父が日本で徴兵されフィリピンに行かされたことを思ったという。[9]私はつけ加えるように、イラク戦争の帰還兵たちの移動を思った。アメリカ政府は2001年の9・11の事件以降、北朝鮮とイラクを「悪の枢軸[10]」とみなし、

2003年にイラクに侵攻した。その戦争を生き延びた帰還兵たちは日本でも反軍隊の立場から証言集会をしてきた。それは彼ら彼女らにとってアメリカの帝国の解体を目指す運動であり、[11] 同伴する私には、アメリカの帝国と日本の帝国の共犯関係を学び直す過程でもある。「東アジア」はフィリピンにもアメリカにもイラクにも拡げられ、いくつもの手でほどかれては作られていく。

解放の途へ、優しい方へ

「ビルひとつ建てるのをやめるだけでも、飢える人に何かできるのに」。最後の場面が渋谷であることについて話していたとき、琴はビルを「欲望の塊」だと言って、そんな思いを聞かせてくれた。[12] このまっすぐな優しい言葉は、途方に暮れていた私の光になった。

ビルを「欲望の塊」として読むことは、崔真碩が東京を近代の「夢」と呼び、その根っこに植民地主義を見ることに通じている。[13] 植民地主義とは「他者の犠牲の上に自己が在る」ことで、崔は、大日本帝国が朝鮮人や中国人などを酷使してダムや鉄道を建設したことや、福島の原子力発電所からの電気に支えられていた東京での自分の生活を挙げている。ひとつでもビルを建てるのをやめることは、近代の夢を醒まし、植民地主義を降りていく途になる。また、「飢える人」を思う言葉は、テオドール・アドルノが「解放された社会の目的」

として、「これからはもう誰も飢えることはないという要求」を挙げたことと響き合う。[14] 彼によるとこの答えだけが、人間の「生産（力）」よりも「ニーズ」を重視するものだという。人間の生産力よりもニーズに注意を払うことは、誰がどのように「人間」とみなされてきたのか、その論理自体の再考をともなうだろう。生産力を重視する論理においては、植民地化された地域の人々など「動物と関係づけられた人間たち[15]」も動物も、「人間」より劣位のものとみなされ、支配の対象とされてきたからだ。

《朝露》には動物が多く現れる。それは、人間と動物の境界や関係を再考する実践なのかもしれない。人々や荷物を運ぶ象や牛や馬、戦場で兵士を笑顔にさせている犬や猫、民家に飼われている豚、人々の移住についていく犬、雪の上でも身軽な狐、海を見ている鹿。琴は、集めた映像からこれらを選び、撮影した少女の場面と組み合わせている。兵士になった少女が火事に慄いているときに立ち尽くすカンガルー。白無垢の花嫁に扮した少女が地に寝転がるときに羽ばたいていく鳥たち。これらは、人間が動物を利用してきた例かもしれないし、人間と動物が互いに世話をし合ってともに生きてきた例かもしれない。人間こそが国境のような境界線を設けて人間を管理し傷つけることの例かもしれないし、[16] 動物や海や空が人間の手にはおさまりきらないことの例かもしれない。

このように私が《朝露》について思いをめぐらすことが、動物を含めて、「協働や対話」をもっと含めて、「優しいもの[17]」を作ろうとしたという琴の思いに倣うものになっていることを願っている。ここでの「協働や対話」にも、まだ現れていない他者を思うこと、その声に耳を澄ますこと、どんな声が「声」として聞かれてきたのかを再考することがともなうのだろう。耳には聞こえない声、聞こえていても聞かれていない声、声とはみなされていない声、動物の声、海や空や山の声、死者の声、元帰国者の声、今はあまり聞くことができない北朝鮮の人々の声。[18]「朝露」プロジェクトに参加することは、あらゆる他者の声とともに生きていくために、自分をほどき、作る過程でもある。

1——本稿では、元帰国者、帰国事業、脱北（者）の「」を省く。朝鮮民主主義人民共和国は北朝鮮、大韓民国は韓国と記す。

2——井桁碧が旧日本軍の「慰安婦」にされた女性たちの証言を伝える活動について述べた言葉。井桁碧「『証言』する女たちを記憶する」大越愛子・井桁碧編『現代フェミニズムのエシックス』青弓社、2010年、65—101頁（引用は71頁）。これを「朝露」プロジェクトのコーディネーター岡田有美子は、宮地尚子『環状島＝トラウマの地政学』（みすず書房、2007年）を引用し、トラウマにアートが触れる過程として論じている。岡田有美子「『朝露』についての覚書」、BUoYで配布された「朝露」の冊子より。

3——松村美穂「『暴力の予感』と、証人になることについて——『朝露』、アルピジェラ、帰還兵」『臨床心理学』増刊第13号、2021年、145—151頁。

4——電車の少女と鳥居をくぐる少女は別人とも捉えうる。後者は日本人（または他のアジア系の女性）とも考えうる。

5——これらはアーティストたちの調査資料だった。2021年4月2日、オンラインでのアーティスト・トークより。Image,

Stories, and Silences of "Ex-Returnees" Who Defected from North Korea to Japan: Artist Talk with Soni Kum. East Asia Program (EAP) , Cornell University. トークの一部はインターネットで視聴可能である。 https://vimeo.com/535958420（２０２２年12月１日閲覧）。

6——琴仙姫「朝露 Morning Dew - The stigma of being "brainwashed"」、BUoYで配布された「朝露」の冊子より。

7——テッサ・モーリス＝スズキ原著、松村美穂・山岡健次郎・小野塚和人共訳「液状化する地域研究—移動のなかの北東アジア」『多言語多文化—実践と研究』第２号、２００９年、４—25頁。

8——琴仙姫《Foreign Sky》（ヴィデオ、カラー、70分、２００５年）。

9——前掲 ４月２日アーティスト・トーク。

10——George W. Bush, "Address Before a Joint Session of the Congress on the State of the Union," *The American Presidency Project,* January 29, 2002. https://www.presidency.ucsb.edu/documents/address-before-joint-session-the-congress-the-state-the-union-22（２０２２年12月１日閲覧）。

11——松村美穂「帰還兵という運動、語りとアートの旅」『戦争責任研究』第81号、２０１３年、22—30頁。

12——２０２１年１月12日、筆者との対話より。

13——崔真碩『朝鮮人はあなたに呼びかけている—ヘイトスピーチを越えて』彩流社、２０１４年（引用は２０１—２２８頁）。

14——Theodor Adorno, *Minima Moralia* (Frankfurt am Main: Suhrkamp Verlag, 1951). Translated by E.F.N. Jephcott, *Minima Moralia: Reflections on a Damaged Life* (London, New York: Verso, 2005).（引用は英語版１５５—１５７頁より筆者訳）。熊谷晋一郎の次の議論も参照されたい。岩永直子「『生産性』とは何か？ 杉田議員の語ることと、障害者運動の求めてきたこと 熊谷晋一郎氏インタビュー（２）」BuzzFeed News、２０１８年９月27日。https://www.buzzfeed.com/jp/naokoiwanaga/kumagaya-sugitamio-2 （２０２２年12月１日閲覧）。

15——Sunaura Taylor, *Beasts of Burden: Animal and Disability Liberation* (New York: The New Press, 2017). 今津有梨訳『荷を引く獣たち—

動物の解放と障害者の解放』洛北出版、2020年(引用は109頁)。朝鮮人が動物と関係づけられてきたことについては、池内靖子「彼女の語りと身体—琴仙姫の映像作品をめぐって」李静和編『残傷の音—「アジア・政治・アート」の未来へ』岩波書店、2009年、238—275頁。

16——たとえば、池田文子編『鳥でないのが残念です—北鮮帰還の日本人妻からの便り』(日本人妻自由往来実現運動本部、1974年)は、北朝鮮と日本間の自由往来を基本的人権として主張している。

17——前掲4月2日アーティスト・トーク。

18——北朝鮮の人々とともに未来を考えていくことについて、李静和『求めの政治学—言葉・這い舞う島』(岩波書店、2004年)やテッサ・モーリス=スズキ『北朝鮮で考えたこと』(田代泰子訳、集英社、2012年)など。

洗脳と分断を解き、不条理と孤独から出奔する日まで

鄭 暎惠

琴仙姫の映像詩、《朝露》は秀逸である。

記憶の網膜に映る「暴力の痕跡」をイメージ・モンタージュで追いながら、生の意味を静かに問いかけてくる。それは独白から始まり、それぞれの闇に幽閉され「孤独からの出口」を模索しながら不条理を生きる私たち一人一人に届く。〈表現〉せずして、出会うことはできない。自己であれ他者であれ。〈応答〉は命の木魂となって、生きのびる道を切り拓く。魂で編み上げた渾身の力作に呼応することは、幸せなことだ。

ポリティクスによってメッキされた「真実」とそれに覆われた世界が、いったい何を私たちから奪ってきたのかを、《朝露》は暴いていく。どれほど確固に見えるよう仕組まれた「リアリティ」も、可変的で逆説的な「別の顔」をもつ。それを隠蔽したい権力に屈服する民衆は、見ザル言ワザル聞カザルに徹するあまり、人間モドキとなる。万華鏡のような3面スクリーンには、そうして直視することを避けてきた存在の残影が、否応なく映し出されている。

例えば、それは「もう一人の私」。私が「そこ」にいてもおかしくなかった。いや、1959年、私の両親が「ここ」に留まった理由はただの「偶然」だけだったかもしれない。渡るも地獄。留まるも地獄。《朝露》は問いかける。虚偽の波が幾重にも打ち寄せる狭間で、私たちはどこから来て、いったいどこへ向かえば良かったのか、と。

歴史や政治の濁流に飲み込まれた者にとって、必然や蓋然などない。そんな、たまたまの生しか許されなかった。それでもまだ何か確かだと思えるものがあり、信じる力を失わなければ、それは命をつなぐ小舟になったはず。しかし、洗脳は国家の常套手段。いとも簡単に小舟を飲み込む。分断支配は人々を翻弄し、利用価値があれば取り込み、決して信頼することなく裏切る。闇夜の海に突き落とされ「向こう岸」まで必死に泳ぎ着こうとする者を、誰が嘲笑できるのか。そして、たどり着いた先もまた別の生き地獄。再び、脱出するも地獄。留まるも地獄。しかし、そんな蟻地獄から命がけでエクソダスした者だけに見える世界がある。琴仙姫は、深奥に異次元を映し出す三面鏡のように、3面スクリーンにその世界を描いてみせた。差し出された私たちは、どう応えるのか。

人は同じ川に二度と入ることはできない。

それでも人は、日常生活に戻ろうとする。

故郷に帰りたいと希求する。
もう二度と「同じ場所」には戻れないことを知りながらも、望み続けるのはなぜか。

では、〈今ここ〉に流れ着いた「私」とは、いったい誰なのだろう。

朝鮮学校の制服を着て日本語の文庫本に読み耽る女子学生。見慣れた車窓の光景には目も向けない。それでも脳裏をよぎるあの風景こそが、命を賭けてでもたどり着きたい場所となる。裸眼で確認できる最も遠い天体「さんかく座銀河」までの距離は約300万光年。今、存在を実感できても、既に消滅しているかもしれない。「さんかく座銀河」よりはるかに高い確率で、帰りたかったあの時間と空間は似て非なるものとなっている。

引き返そうとして、彼女は背後から刺された。包丁3本。正面からじゃないのは、彼女を刺したのが同胞だということか。植民地支配で受けた差別の生傷は、民族の分断と殺し合いで致命傷となった。信じて疑わなかったものが、跡形もなく消滅した時、二度と取り戻せない追憶が突き刺さる。忘れたかった過去、目を背けたかった現実は、凶器ともなるのだ。

「人生は朝露のごとし」。日本では人生の儚さを意味するが、琴仙姫にとっての『朝露』は、限りなく静かに、観る人の心に鋭く突き刺さる希求と切望のナイフ。あまりにも多くを喪失してしまったとしても、私たちは未だ終わりのない旅の途上にいる。無限の宇宙を彷徨う私たちは、既に消滅していても光り続けることができる星を頼りに、希望や理想という重力を見出し、これから向かうべき着地点のありかを切望している。

心はざわつき落ち着かなくなる。香港やビルマ、シリアやパレスチナで起きていることは、デジャヴなのか。『朝露』が聞こえてくる。恐怖や悲しみと決別し、希望を胸に人間の尊厳と自由を求め、果敢に権力に立ち向かって行く若者たち。その志は、朝露のように清らかで聡明だ。尊く美しいがゆえに、青春は儚く散らざるをえないのか。その痛みとともに先達から託された理想を、継承し前に進めるための知恵が私たちには必要だ。あの時、ともに『朝露』を謳った嘘偽りのない情熱と信頼が、目指したところを見失わないために。

美しすぎる朝鮮の歌謡『朝露』は、民主化運動を牽引した魂の歌。韓国では、朴正熙政権下の1975年5月に緊急措置9号により禁止曲となり、87年まで解除されなかった。北朝鮮でも1998年には禁止曲となった。琴仙姫は、87年から98年の雲間に『朝露』に出会い、百年を超える苦難の物語を《朝露 Morning Dew - The stigma of being "brainwashed"》と名付けた。

暗雲の時代に学生だった私は、『朝露』から引き剥がされた世代だ。大学に入学した年に朴正熙が暗殺され、翌年に光州事件が起きた。光州で女性タクシードライバー第1号だった従姉を一月余前に訪ねたばかりだったが、彼女は半年以上消息不明となっていた。未だSNSなどなかった時代、現地で何が起こっているのか庶民には知る術もなく、政治的立場で異なるいくつもの洗脳が渦巻いた。南北分断に加え、韓国の体制反体制で激しく同胞が対立し合い、信じられるものなど皆無だった。希望もないのに、また一日が始まることが苦痛で、夜明けになると涙が溢れた。その頃、病に倒れた一世の父から「自分の代わりに祖国に帰ってほしい」と託され、1987年3月、私は留学生として延世大学に渡った。折しも、日に日に民主化闘争は激しさを増し、催涙弾は汗と化学反応を起こして学生たちの目や皮膚を焼き焦がした。6月、李韓烈くんが催涙弾の直撃を頭に受け意識不明の重体となった日も、私はすぐ横の図書館にいた。学生たちはみなデモに行き、館内は外とは対照的に静寂そのものだった。その後、友人は明洞聖堂に立てこもった。大学路の寮に戻れば、恵化洞でも学生たちが毎晩デモに繰り出し、深夜になっても歌いながら戦闘警察と衝突していた。催涙弾が発砲される度に一瞬歌声は消え、また湧き上がって終わりなく歌は続いた。私は悔し涙を流し、無力であることの罪悪感で押しつぶされた。1987年6月29日、ついに大統領直接選挙制が認められ、もう誰にも抑えることはできなくなった。希望に満ち溢れた五十万余の人々で汝矣島広場はいっぱいになり、歓喜でもみくちゃにされながら私も街頭デモの一員となった。私にとって『朝露』は、この時代の記憶である。

「日本に帰化すればいいのに、どうして、あんな国の国籍を持ち続けるの?」

1973年、金大中事件の直後に、日本人の同級生は素朴な疑問をぶつけてきた。まだ、朝鮮が日本に植民地支配された歴史があったことすら知らなかった12歳の私は、何も答えられなかった。訳がわからないながらも「ひどく嫌なこと」を言われたことだけはわかった。帰宅して父にそのことを話すと、しばらく沈黙した後「そうだね。僕は絶対しないけど、お前は将来帰化を考えてもいいのかもしれない」と父はつぶやいた。私は日本人に生まれ損なった上、まだ多くの人が「地上の楽園」だと信じていた彼の地にもノリそびれ、選んだ覚えもない重く暗い軍事独裁政権の国家に属する自分の不遇を恨んでいた。しかし、父のその一言に何故か無性に腹が立ち、泣いて抗議したことを覚えている。その後、私が帰化を考えることはなかった。

あれから、たったの30余年後。巷には韓流ファンが溢れ出し、北は愚かな独裁者に洗脳支配された愚民集団だと烙印が押された。もはや信じられるものなどあるのか。確かなことはただ一つ。いずれ、全ては変わりはてる。世界が変容、歪曲、消滅、生成を繰り返すことは、絶望と同時に希望をもたらす。しかし、想定をはるかに超えた未来は、知恵を手がかりに生きぬけばいい。「知恵は苦しみの中から生まれる」としたら、私たちは既に知恵の宝庫を携えているのだから。

洗脳されることから無縁に生きられる人などいない。しかし、self-determination・自己決定・自治・自主・自立・自律――「自分で考えて判断し、決めることができる」ために死闘をするか、しないかの分岐点で、どちらを選ぶかが生死を分ける。Iwojimaで、朝鮮人は生きるために洞窟を出た。思わず、微笑みがこぼれた。日本兵は洞窟を出ることなく自決した。

国家に翻弄され、人間の尊厳と自由を奪われ、同胞に殺され、餓死を余儀なくされる。

――もうたくさんじゃないか。

1945年、長い長い苦難の末、ようやく植民地支配から解放されるはずだった。

しかし、待っていたのは「恩恵と呪い」。日本と入れ替わりで押し入ってきた東西列強による分断と支配。凄惨な済州四・三事件もタブーとして封印され、翻弄された同胞どうしの殺し合いは朝鮮戦争となった。復興せず荒廃した故郷と極貧の生活。あれほど差別と貧困に苦しめられ、決別を望んだ日本に、密入国してまで戻らざるを得なかった過酷過ぎる現実。

1959年以降、在日朝鮮人の大半は朝鮮半島南部の出身だったにも関わらず、9万3千人もが半島北部の「未知の地」に片道切符で「帰還」。それは理想の「祖国」に向けた出奔となるはずだった。人権砂漠の鬼国日本や、帝国主義の傀儡として建国された韓国の欺瞞に絶望すればするほど、「人民の人民による人民のための楽園」というプロパガンダに騙されていった。

ところが、他者を支配・排除することで成立した「楽園」で待っていたのも、嘘と恐怖と餓死だった。想像を絶した皮肉と絶望。「出口なし」の岐路で、彼女彼らが選んだのは、自死ではなく、命がけの脱北だった。向かった先は韓国、そして日本。

なぜ、そこからの脱出を切望し続けた日本も行き先となったのか。理由は「日本生まれ」「母が日本人妻」だけだろうか。いくら日本が経済的に繁栄していても、厳しい就職差別で「生活が成り立つ安全地帯」だったことはなく、「同じ人間として受け入れられた記憶もなかった。それでも日本を「選んだ」のは、「祖国」に「資本主義世界から来た」と信頼されず、自由を奪われ屈服を強いられ、率直な感情すら表現できずに、監視・尾行・密告に封じ込まれて警戒心を解くことない状態を、日本語がすっかり朝鮮語なまりになるほどの長きにわたり耐え続けた結果なのだろうか。はたまた「どこにも居場所がない現実」のなせるわざだろうか。

終着地に韓国を選ばなかったのは、「同胞」「祖国」に裏切られた傷が、何よりも深い苦痛と怒りだったからか。あるいは、南北分断を再生産し続ける政治に抵抗し、自分たちの「自主的で民主的な平和統一国家」への希望がほんのわずかでも残っていたからなのか。日本で「朝鮮籍」を生きる金石範が、「あくまで統一祖国を求める。実現すればそこの国籍をとり、国民となる。ただしそのとき、私はもはや民族主義者ではない。それ以降は、必要に応じて国籍を放棄するつもりでいる」と語ったように。国を奪われた民が希求する「歴史的必然」であり、一歩進むために通らなくてはならない道だったのか。

映像詩《朝露》の最終章、脱北者の言葉で最も印象的だったのは、過酷な北朝鮮の現実ではない。むしろ、こんな状況下でも目指すべき方向を見出し、彼女彼らが生きのびたという事実だ。窮地に立たされた時、まるで霊感のように突如として、知恵は夢の中でふって湧いた。嵐の中でも絶えることなく燃え続ける燈火のような、確かな生命力を私は感じた。

その一方、プリーモ・レーヴィを忘れることができない。彼はアウシュビッツからの生還を果たしたにもかかわらず、自死を選んだ。「平穏な日常」を装って問題のありかを覆い隠す洗脳の暴力と、それに従い彼とリアリティを共有せずにいた人々によって、孤独に幽閉されたことによる「窒息死」だと私は考えている。希望を未来につなげられるかどうかは、同時代の空気を吸っている者たちが、かけられた洗脳の呪いを自ら解き、互いに出会うことができるか否かにかかっている。

鳥居と階段。一段上がるごとに服従の渦に飲み込まれる。

エスカレーター。一階上がるごとに不条理の闇に吸い込まれていく。

非業の死は、ブラックホールのようにリアルで重い。

〈今ここ〉にある存在を、限りなく軽く透明にして生きのびることは果たして楽なのか。

「何ごとも変わらない」かのごとく、シーシュポスの神話は繰り返されていく。

不公正・理不尽が温存助長されるなら、真綿で首を絞められるようにいずれ窒息死する。子どもたちは統合失調症なのではない。

ただ、割れた鏡に映る、壊れた世界をそのまま見つめていただけ。

近所に住む高齢女性からある日突然「実は、私には三人子どもがいたけど、別れた夫と北朝鮮に行って、それきりどうしているのかわからない」と打ち明けられたことがある。その後、何事もなかったかのように「ごく普通の日本人」として暮らす彼女は、野良猫たちが冬の寒空の下で餓死しないかと心配し「この子たちもみんな命だから」と自分の食費を切り詰めて何十四もの猫を世話している。

また、たまたま近所の銭湯で出会った「一世なまり」の日本語を話す別の高齢女性は、済州の出身だった。しきりに「最近の済州はどうなってる?」と私に聞いてきた。そんなに故郷が気になるのに、解放後まだ一度も帰っていないという。「北朝鮮に行ってしまった子どもたちと、死ぬまでに一度だけでもいいから会いたい。だから韓国籍を取らない」のが理由だ。

北に「帰った」人の数だけ、日本に残された家族がいる。北に渡った家族を一日も忘れることなく、ひたすら耐えて日本社会でひっそりと生きる人々もまた、家族と故郷の喪失者だ。

それでも、どこにも帰る場所がない境遇にすら、人は慣れうる。二度と「祖国」に戻れないなら、異郷の地にも躊躇なく根を張り「故郷」を創る。故郷喪失者たちの街に紛れて暮らすならば、どんなに失くし続けても、湧き出る泉のように、枯れることなく希望を生み出し続ける。生きるとは、墓石を押し上げ続ける努力だから。傷は深くとも、人々は互いに癒やし癒やされる力をもっているから。希望は、勇気をふりしぼって一歩踏み出すこと。それは表現するということ。ここに存在している証に呼応すること。

朝露の丘。一歩上がるごとに微笑みは溢れる。

『朝露』

長い夜を明かし、草葉に宿る／真珠より美しい、朝露のように／心に悲しみが、実るとき／朝の丘に立ち、微笑みを学ぶ。／太陽は墓地の上に、赤く昇り／真昼の暑さは、私の試練か。／私は行く、荒れ果てた荒野へ。／悲しみふり捨て、私は行く。

（作詞・作曲：金敏基　訳：李政美）

語れなさについて

島貫泰介

琴仙姫の《朝露 Morning Dew – The stigma of being "brainwashed"》（２０２０）は3面の大スクリーンを使った映像インスタレーションである。２０２０年11月5日から11日にかけて、東京・北千住BUoYで開催された「朝露 日本に住む脱北した元『帰国者』とアーティストとの共同プロジェクト」で発表された。

60分に及ぶ全体は、アイスキュロスの『アガメムノーン』の一節や明治神宮を歩く白いチマチョゴリ姿の女性が映される冒頭部、「火山島（Volcano island）」、「Boon and Curse（恩恵と呪い）」、「Hero on the hill（丘の上の英雄）」、「Bride's march（花嫁の行軍）」、「Ghost Dance（ゴーストダンス）」、「The stigma of being "brainwashed"（「洗脳」というスティグマ）」の7部で構成されている。本作のために撮影された演劇的なパート、北朝鮮から日本に逃れた元「帰国者」の証言を伝えるドキュメンタリーパート、Korean Film ArchiveやUS National Archives、個人が所蔵する映像記録がさまざまにコラージュされ、本プロジェクトが主題とする日本に住む元「帰国者」たちが経験した戦後、かれらが連なる近代から現代に至るまでの朝鮮半島と日本の歴史を語ることがここでは試みられている。

映像はどれも熾烈である。1919年にソウル市中心部に建立された朝鮮神宮と、そこへの参詣を強いられた日本統治下の朝鮮人たち。戦後の日本への大量難民の原因でもあり、現在も続く南北分断の象徴と言える1948年の済州島四・三事件。1959年から四半世紀にわたって続けられた在日コリアンの北朝鮮帰国事業と、それを積極的に促進した総連（在日本朝鮮人総聯合会）、急増する国内人口の削減のために党派を超えて関与した日本、人道的見地から帰国事業に協力した赤十字の活動。そして、家族で北朝鮮に帰国したものの劣悪な生活環境から逃れるために脱北し、現在は東京で暮らす男性が述懐する記憶。

それらの雄弁で直裁的な映像は、歴史を忘却することに長けた日本の鑑賞者に覚醒の強い衝撃を与えるだろう。あるいは、タイトルの「brainwash（洗脳）」に含意された在日コリアン社会の閉鎖性への批判は、そこに属する人々にさまざまな居心地の悪さをもたらすかもしれない。イデオロギーや民族によって紋切り型に強者／弱者を二分することで、個人の尊厳や共同体が抱える矛盾や陥没から目を背けてきたあらゆる者たち（在日社会で生まれ育った作家自身も、当然そこに含まれるはずだ）について語ろうとする琴仙姫個人の意志が、本作の並外れた強靭さを支えている。だが、この雄弁さには、対極的な「語れなさ」が伏流しているように感じる。

作家によると、2020年11月に開催された展覧会では元「帰国者」への取材を軸としたドキュメンタリーの出品が当初構想されていたという。その計画は実際の証言を取り扱うことの倫理的・技術的・時間的な困難さによって中断され（ドキュメンタリー制作は現在も進んでいる）、代わりに作られたのが映像詩としての《朝露》である。既存の映像素材を用いて再構成する手法は、過去作《Foreign sky》（２００５）でも採用されており、一種神話的でもあるイメージを演劇的に編んでいくことも《bloodsea》（２０１０）などで試みられてきた。そういった自らが習得する映像やパフォーミングアーツの文法によって、ありえた＝語られなかったドキュメンタリー作品を代替するところから生まれたのが《朝露》であったことをまず前提としよう。

この「語れなさ」の重力は《朝露》のかたちをさまざまに規定している。例えば「Bride's march（花嫁の行軍）」に登場する巨大なカルデラ湖は北海道の摩周湖だが、コロナ禍による海外渡航制限がなければ、中国と北朝鮮の国境にまたがる白頭山でロケ撮影されるはずであった。19世紀末以降に高まった民族意識の興隆によって、朝鮮民族の精神性の象徴となった聖地・白頭山の雪原を、作家の自己像もしくは在日コリアン社会における女性像とも言えるような女性（日本式の婚礼衣装である白無垢・角隠しを着ている）がさまよい歩くイメージ自体きわめて複層的な意味を持つが、地球規模でのパンデミックによって阻害された作品制作のための移動や、実現できなかったイメージを摩周湖で代替したことが、さらなる複雑さをこの映像に与えている。

「火山島（Volcano island）」での崖から身を投げようとしているように見える女性や、「Hero on the hill（丘の上の英雄）」の抗日パルチザンを彷彿させる女性同様に、それは「かつてあった」「かつて作られた」イメージへの現代からの漸近と、その表象不可能性を示すからであり、またそれは朝鮮、韓国、日本の間にありながら、そのどれにも帰属しがたい在日コリアン社会、そしてそこからさらに孤絶する元「帰国者」の特異なアイデンティティとも重なって、作品の雄弁さを絶えず揺るがすのである。

また、これらの女性たちを一人で演じ分けた俳優が日本人であることも動揺の一つだ。[1] 時代と場所を超えた複数の人物の統合体であり、また作家の自己像でもあるような俳優が、明治神宮の鳥居をくぐった瞬間にチマチョゴリをまとった姿に変わるシーンや、抗日パルチザンの男性兵士が描かれた絵画を凝視し、その勇ましい姿を再現するシーン(厳密に同一ではない)には、日本人が朝鮮人を「演じる／演じさせられる」ことの倫理的な葛藤と緊張が生じる。後者のシーンで、俳優は全身を深く屈め、不自然な角度で左脚を置き、また左手で手榴弾を携えている。無理な姿勢を保ちきれず、やがて身体はぶるぶると揺れ出し、苦悶の表情が浮かぶ。歴史を表象することの不可能性の重みに押し潰されていくような身体のありようは、あるいは自分たちが遠ざけてきた歴史の因子を注入されて副反応を起こす日本人の姿であるかもしれない。

私たち「日本人」は《朝露》のなかで触れられる歴史について自ら語る必要がある。しかし、歴史の風化や政治的・心理的な摩擦の前にたじろぎ、いつまでも誠実に語れず、語るための数少ない機会を失ってきた。おそらく《朝露》が目指したのは、この「語れなさ」の可視化であり、その不可能性は朝鮮、韓国、日本、そして元「帰国者」それぞれの個人とコミュニティに、それぞれのかたちで深く根付いている。

あるインタビューで、琴仙姫は《Foreign sky》について「北朝鮮の歴史を描いたドキュメンタリー映画のフッテージを多用していますが、そのプロパガンダ的性質を解体して自分の個人的な家族の物語に綴り直す、『destabilizing（不安定化）』の構造を採用しています」と述べている。[2] それとは逆に、《朝露》では忘却によって解体状態にある個々の経験や歴史を再統合する試みがなされているように思うが、その過程において、《Foreign sky》同様の「destabilizing」が生じるのはこれまで見てきたとおりだ。

あらためて同作を見返し、《朝露》に至る作品の変遷、また《朝露》での試みを踏まえたとき、琴仙姫の関心は「綴り直す」ための統合にではなく、やはり不安定化によってもたらされる撹乱にこそあるように思う。またそれは、作品のために戦略的に選ばれた不安定化ではなく、作家自身も否応なく包摂されるコントロールしがたい撹乱だろう。

《朝露》が表象的な雄弁さを強めるほど本質的な語れなさを露わにするのはこれまで見てきた作品の構造や作家の立ち位置に起因するが、元「帰国者」の複雑な性質、在日コリアン社会のイデオロギー、例えば「在日朝鮮人美術」[3]と呼ばれる美術動向にも見られる歴史記述の困難さにもよっている。こうした語れなさが乱立する状況のなかで自らをもdestabilizingし続ける琴仙姫の選択は、事物の再表象に関わる仕事を行うアーティストとしてきわめて倫理的である。

1——公募を経て選ばれた和座彩（わざひかり）が演じている。応募者には在日コリアンの俳優も含まれていたという。

2——『美術手帖：特集「移民」の美術』（2019年12月号、美術出版社）で筆者が担当したインタビュー。

3——白凜『在日朝鮮人美術史 1945—1962：美術家たちの表現活動の記録』（明石書店、2021年）を参照。

脆く儚いフレーム／生のあやうさ——琴仙姫の《朝露》に寄せて

レベッカ・ジェニスン

「揺るぎない歴史」というべきものに私は幾度となく立ち返ります。
それは、社会のものであろうと、個人のものであろうと、
頑なに、執拗に、私たちの前に再び現れては立ちはだかる歴史です。

モイラ・ロス「記憶と歴史について」[1]

……新しい作品を作る過程は、自分がこれまでに背負ってきた荷物をひとつひとつ落としていくことのようだ。作品にはそれ自身に生命があり、アクセスしたい人たちに暗証コードの情報を提供する。

琴仙姫「因縁のコードを解読する」[2]

様々なメディアを駆使して制作を行うアーティストの琴仙姫は、三つのスクリーンの映像からなる迫力

のインスタレーション《朝露 Morning Dew - The stigma of being "brainwashed"》（2020）のなかで、イメージと音声と言葉を繊細に織り重ね、近現代の「戦後」史においてほとんど無視されてきた一幕に心を揺さぶる詩的な声を与えた。この「朝露」という言葉は、作家自身がキュレーションしたユニークで革新的な協働プロジェクトのタイトルにもなっている。かつて「帰国者」と呼ばれた在日朝鮮人たちと現代アーティストの対面の場となったこのプロジェクトは、1950年代後半から1980年にかけて日本と北朝鮮の赤十字が主に調整役となった「北朝鮮帰国事業」[3]（以下、帰国事業）に参加した人々の様々なイメージや物語や声を用いて、太平洋戦争から朝鮮戦争を経て冷戦に至るまでの韓国における日本の植民地主義という「揺るぎない歴史」に光を当てている。それぞれに「朝露」と題された、作家個人としての作品とより大規模なプロジェクトの両方を通じて、琴は東京のコリアンコミュニティで生まれ育った自分自身の立場から、この困難な時代を生き抜いてきた人々の複雑な歴史へと想いを馳せるための空間を開いている。

今日のアートにおいては、植民地主義や戦争や移民といった地球規模の地政学的な歴史とのつながりのなかで自身や家族の歴史を模索しようとする作家たちの潮流があり、琴もその一人といえる。このような作家の例として、ヴェトナム戦争とその戦禍のイメージの再検証を通じて歴史や記録に関するテーマを模索するディン・Q・レ（1968年生まれ）が挙げられるだろう。今から20年以上前、ヴェトナム戦争の終結から25年という節目を背景として、美術史家のモイラ・ロス（1933―2020）は当時《Moi Coi Di Ve

(Spending one's life trying to find one's way home)》(2000)というインスタレーションの大作を完成させようとしていたディン・Q・レとEメールでのやりとりを始めた。この作品に用いられた1500枚の家族写真はホーチミン市の古物店で発見されたものであり、そこに写された家族たちがヴェトナムから退避するときに置き去りにせざるをえなかったものである。ロスはこの作品をめぐるやりとりのなかで『揺るぎない歴史』というべきものに私は幾度となく立ち返ります。それは、社会のものであろうと、個人のものであろうと、頑なに、執拗に、私たちの前に再び現れては立ちはだかる歴史です」という言葉を残している。ロサンゼルスで育ったディン・Q・レはやがて大衆的なハリウッド映画におけるヴェトナム戦争の描かれ方に抗うようになり、戦争を捉えるフレームを意識させ、それらのフレームに切り取られた世界の外側を見ることを要請するような「写真を編む」技法を完成させていった。その作品は「屈することなく、決して消えることのない」揺るぎない歴史に常に支えられている。

琴もまた、作品を通じて「揺るぎない歴史」を探りつづける作家である。《朝露》は画像や動画、撮影された様々な場面、ドキュメンタリーやメディアの映像といった断片を並置し、編み直すことで、「単一の語り」のフレームを解体し、支配的な物語の外へと目を向けるよう問いかける動的なタペストリへとそれらの断片を再構成している。私たちはこの作品を前にして、日本による朝鮮半島の植民地化、太平洋戦争、チェジュ島(済州島)の民衆蜂起に対するアメリカに支援された軍事政権の暴力的弾圧、朝鮮戦争、「帰国事業」といった「揺るぎない歴史」を、その時代を生き抜いた当事者や子孫たちの視点から見つめ直すことを求められる。最終的な和平にまだ達していない地域における日本の植民地主義とアメリカの帝国主義の痕跡は、現代日本の都市に住む元「帰国者」たちが今も続く偏見とスティグマに抗いながら暮らさなければならない状況をつくり出している。琴は「帰国者」たちの様々な物語に耳を傾け、受け取めた記憶の重荷を夢のようなイメージの連なりへと変え、作品として独立した生命を与えたのだ。

革新的な「ソーシャリー・エンゲイジド・アート支援助成」(川村文化芸術振興財団)を受けて行われたこのプロジェクトでは、12ヶ月をかけて15人の元「帰国者」へのインタビューが行われた。そこで琴が交わした対話の一部は《朝露》にも用いられている。他にも竹川宣彰、山本浩貴、高川和也という三人の作家が日本で暮らす元「帰国者」と会い、一人の人間同士の対峙を基にして新たな作品を制作した。2020年11月、《朝露》は三つのスクリーンの映像を用いたインスタレーションとして、このプロジェクトを通じて東京でまとめられた作品や記録とともに展示された。しかし、コロナ禍の影響を受けた多くの会場と同様に、この展示を目にすることができたのは限られた人数だけだった。また、コーネル大学で4月に予定されていた上映とシンポジウムも中止となった。しかし、シンポジウムだけは2021年4月にオンラインでの開催が再調整され、そこで私が琴と交わした対話はこの論考の一部となっている。

《朝露》には、白黒の記録映像からの儚く色褪せたイメージや、様々な場面や今日の東京を写した映像が丹念に織り合わされており、そこには対話相手の述懐に対する琴の想像力豊かな反応が表現されている。同時に、鑑賞者は作品を体験していくうちに、戦争ドキュメンタリーやニュース映画等からのイメージがひとつの時系列的なつながりへと展開していくことに気づかされる。これらのイメージのリフレーミングと編集は、スペクタクルに抗う非直線的な鑑賞体験のなかで心を揺さぶる瞬間を創り出す。そこで遭遇するイメージと音声には「暗号」が埋め込まれており、見つけられることを待っているのだ。

この作品の七つのセクションのそれぞれ冒頭に掲げられる引用は、アイスキュロス、アルバート・カミュ、朝鮮戦争の歴史家ブルース・カミングス、レーニン、対話相手となった元「帰国者」の日本人妻の一人、ラコタ族の長老など、多岐にわたる出典から取られている。これらの詩的な短い言葉は、様々な時代や場所の具体的な歴史を結ぶ意外なつながりへの気づきを促す。同様に、度々「第三の」スクリーンに映る予期せぬイメージは、直線的で二元論的な解釈を妨げる。眼下に海が広がる高い崖の上に残された女性用の靴、奴隷的な環境で強制労働を強いられる人々、オーストラリアの藪のなかで燃え広がる炎に囚われて戸惑う一匹の獣といったイメージのもたらす驚きは、鑑賞者を新たな気づきの瞬間へと誘う。通勤列車や混雑した駅や東京の神社の今日の様子といったイメージの只中で、私たちはこれらの「記憶のイメージ」が今も日本に暮らす元「帰国者」たちの生々しい現在の一部であることを想像させられる。

《朝露》は作家自身と対話相手がこれらの揺るぎない歴史の重荷を「解き放つ」ことを可能にした協働のプロセスがもたらしたものである。この作品の持つ想像上の時間／空間のなかで、本当の顔と声こそ決して明かさないものの生々しい存在を感じさせる人々の重荷へと、鑑賞者は心を寄せることになるだろう。この作品は耳を傾けるということに、あるいは、かつて沈黙だけがあったところに聞こえてくる微かなつぶやきに場所を与える空間を創り出しているのだ。鑑賞者や目撃者としてこの作品の前に立つ私たちも、否応なく新たな方法で世界に目や耳を向けることになる。

2000年代初期に琴はライブ・パフォーマンスとビデオと記録映像を用いた実践を発展させていった。《Beast of Me》（2005）や《Foreign Sky》（2005）のような実験的作品では、多様な映像やメディアからのイメージが個人的な語りやビデオ・パフォーマンスと並置され、支配的な語りの攪乱と解体が試みられていた。[◆4]《朝露》の原型となるいくつかのプロジェクトは、10年以上も前に韓国に住む「脱北者」たちとアートを通じた一連のワークショップを開催していたこの時期に始まっている。そこで出会った人々の中には、元々は在日コリアンとして北朝鮮に移り、それから韓国へ逃れた元「帰国者」の脱北者もいた。2011年から2012年のソウルでの滞在制作中に何度か行われたワークショップは、そうした人々が集まり支援を求めるための安全な空間となった。そのうちのひとつは朝鮮半島の南北分断を調停する新たな方法を導くための創造的なコラボレーションとして開催され、北朝鮮と韓国から招かれた伝統舞踊家たちが同じ場所で演じることでそれぞれの地域に伝わる踊りを共有した。これらのワークショップは、よりよい暮らしを求めて1959年以降の帰国事業に参加して北朝鮮へと「帰国」した元「帰国者」についてより多くのことを知る機会となった。その中にはやがて中国を経て韓国に「脱北」した人々と、日本に戻った人々もいた。

作品の題名に用いられている金敏基の有名な抵抗歌『朝露』(1970)を琴が初めて耳にしたのは、東京の朝鮮学校初等学校で5年生だったときのことだという。それぞれの物語を共有してくれた対話相手たちのように、この歌もいくつかの国境を越えて旅をしてきた。[5]『朝露』は在日本朝鮮人総聯合会(朝鮮総聯)や朝鮮学校で教えられていた数少ない1970年代から1980年代のフォークソングのひとつであり、それ以外に学校で耳にできたのは北朝鮮の最高指導者や朝鮮労働党を讃えるイデオロギー的な賛歌ばかりだった。『朝露』は韓国の軍事独裁への抵抗運動の中で歌われていたという理由で当初は許容されていたのである。琴はこの歌の詩的な言葉と朝露のメタファーに子供心にも感銘を受けたという。しかし、当時金敏基が韓国の軍事独裁に具体的に言及できなかったという背景もあり、この歌にはより複雑な寓意が潜んでいた。詩的なメタファーと民衆的なメッセージは大いに広まり、北朝鮮にも届き、琴や学友のもとにも辿りついた。その後、この歌は北朝鮮でも禁止されるようになったが、東南アジアにおける民主主義を擁護する様々な運動のなかで今もよく知られている。

琴の作品に通底している動機は、歴史と物語をめぐる問いへの進行形の関心と、「勝者とされたものだけが表舞台に上がる」ことのできる歴史のメタナラティブにおける沈黙とアポリア（難問）という失われたかけらを検証しようとする、作家としての目的意識である。多数の声を少数が代表するこの制度を迂回する戦略として、琴は「公認された語りや教科書、歴史をめぐる物語や教科書、または政府関係者により事実上の洗脳手段として教えられたこの歴史の物語からは失われ、あるいは取り残されてきた様々なかけらを含む、より個人的で、より断片的な歴史の〈語り〉のありかた」を創り出そうとしている。[6]

このような支配的な物語を攪乱することが琴の目的なのだ。なぜなら、それらの物語は「スケープゴートや、他の誰かや、何らかの国への怒りと憎しみを生み出すことが多く、相手が〈劣った〉〈凶悪〉で〈洗脳された〉人々であるならば、嫌悪を正当化し、さらには爆撃や迫害の的にしてもよいとさえ考えることを許容する」からである。琴も日本において差別を経験している。京都で日本の工芸品や人形を扱う小さな店を経営していた父方の祖父も、皇軍に徴兵されてフィリピンのレイテ島に出征している。異なる視点へと作品の鑑賞者が出会うことを望みながら、琴は様々なソースから集められた記録のイメージを並置する。この実践を通じて、これらのイメージは新たな文脈へとフレームを移し換えられる。

……ひとつの時間軸の上で、あるいはひとつの時空間の中で、権力をめぐる諸関係に何らかの均衡状態と一種の「水平化」（同じ水準へと位置づけること）がもたらされる。その狙いは、特定の組織や権威の定めたアジェンダや、現実世界の金銭的な利益やその背後にある欲望を、分散あるいは希薄化することにある。そして、これらのイメージを並置し、ひとつの時間軸や時空間へと再び文脈づけることで、同じ時間と空間を共にする新たな意味を創造することができる。それは、この現実世界に存在することができず、事実として存在していない、どこかユートピア的な空間の創出なのだ。◆7

《朝露》にはメタファー（隠喩）とメトニム（換喩）が用いられ、徴兵される兵士たちや植民地支配下の韓国で神社参拝を強いられる学校の女生徒のような記録映像などの儚なげながらも意味の充溢したアーカイヴ的なイメージが並置されている。それは時空間を旅するための想像世界の可能性の創出なのだ。どこか南東の島や、太平洋戦争末期に米兵が上陸した硫黄島を写した中央のイメージの中に、日本の皇軍に徴兵された朝鮮人兵士たちが姿を現す。日本兵に降伏を呼びかけるために動員されていた日系アメリカ人二世の兵士たちの声に応じ、生き延びようとする朝鮮人兵士たちが洞窟から笑顔を覗かせる。祖父が日本軍に徴兵されていたこともあり、このようなイメージは琴にとりわけ驚きを与えたという。

作品のサウンドトラックも入念に考慮されている。言葉の使用は最小限に留められており、詩人・批評家の李静和のいう「聞くことができず、生身の耳には響かないが、現実であり事実であるこの世界に、なおも実際に存在している音」に影響を受けたという。音声部分の制作は当時ロンドン郊外のキングストン大学で教鞭をとっていた作曲家のステイス・コンスタンティンとの協働で進められたが、その際に琴が重視したのは聴くという感覚を研ぎ澄ますことだったという。それは沈黙に耳をそばだてることだけではなく、すでにこの世にいない者の声に耳を傾けることも意味している。琴はこの作品がある意味では「沈黙の物語」なのだという。

いかなるドラマとも、「感動的」になりうるいかなるロマンチックな映画や家族的なメロドラマとも、私は距離を置くことにした。人々の感情を操り、人々を一定の方向へと動員しようとする伝統的なやり方から離れたかったのだ。思えば、このプロジェクトに臨むことは大いに勇気のいることだった。なぜなら数多くの在日コリアンたちは今も沈黙を守り、姿を隠すことを余儀なくされる状況で暮らしているからだ。[8]

沈黙と姿なきものとのこの交渉は、日本の美術界との関係を考慮しなければならないことも意味していた。2011年の3月11日の三重の災害（編注：地震、津波、原子力災害）の後、日本の美術館やキュレーターは何かしら政治的なテーマを扱う作品を展示することに以前よりもオープンになった。そうした作品によって賞を受ける作家も増えてきている。一方で、そこには暗黙の基準があった。それは、そうした政治的な作品が日本の東アジアの植民地支配に関する決着のついていない歴史解釈をめぐる「繊細な問題」には触れてはならないという基準である。この難題は琴と対話相手たちの前に立ちはだかり、最終的な作品には録画された物語のほんの一部だけが用いられた。作品のタイトル「朝露」とサブタイトル『洗脳』というスティグマ」は詩的なメタファーと過酷な社会的現実を組み合わせたものであり、それは突き詰めれば、私たち自身がこの洗脳のための制度と構造に加担する様々なありかたについての警告である。

皮肉ともいえるかもしれないが、K・POPカルチャーの人気が日本や世界で高まるにつれ、日韓政府間の対立の継続とは裏腹に、日本人と韓国人の関係は改善されつつある。しかし、北朝鮮に関して状況は異なると琴は言う。

K・POPの急速な人気のなかで、北朝鮮のイメージは依然として忌諱と嫌悪の念にまみれており……その負の感情は他者としての北朝鮮と、そこに住み、そこで生まれ、それに関係する人々に向けられている。では、なぜこのようなトラウマがあるのだろうか？　おそらくそれは（ほとんどの）日本人が北朝鮮の人々は政府に洗脳されていると考えており、北朝鮮政府には、専制的で、劣等で、貧しく、正気を失った……といったあらゆる否定的なイメージがつきまとっているからだろう。北朝鮮に関わりのある人々はこうした偏見に日々晒されている。洗脳された人々というスティグマがもたらす苦痛は……あまりにも重い。[◆9]

§

人の心が自然から離れれば、心が硬直することを我々ラコタの祖先は知っていた。生きとし生けるものへの敬愛を失えば、人間への敬愛もすぐに失われることを祖先は知っていたのだ。

ラコタ族の長老の言葉（「Ghost Dance」より）

私は2022年3月に名古屋の愛知芸術文化センターで《朝露》をフルサイズのスクリーンで体験することができた。視覚的・聴覚的なイメージによって織りあげられたタペストリの様々な要素の解読を試みながら、サウンドトラックの力やその中で沈黙が訪れる瞬間のような心を揺さぶる衝撃に私は何度か立ちすくんだ。また、植民地統治下の韓国にある神社の階段を上る制服姿の若い少女たちや、「戦後」の消費者文化と物質的繁栄のための「神社」ともいえる現代東京のとある高層ビルのエスカレーターを幾度となく上り下りする一人の男性のような、並置された多種多様な視覚的イメージにも衝撃を受けた。作品の解読はまだ途中だが、より明確に意識できるようになったことがある。それは、これらのフレームは一見脆く儚く、そこに映し出される人々の生もあやういように見えるが、築かれた足場は強固であり、私たちが直接目にすることはないそれらの人々の強靭さは驚くべきものがあるということだ。

最後のセクションで引用されるラコタ族の長老の言葉は、ラコタ族のゴースト・ダンスを想起させる。開拓者による植民地主義がアメリカ先住民を飢餓と放浪と死へと追いやった19世紀に、死者を弔うこの儀礼の踊りを米軍は「戦さの踊り」だと誤解した。琴の作品におけるイメージと言葉の予期せぬ並置は、私の生まれたアメリカで依然として支配的である帝国主義的な物語についての気づきを与えてくれるものであり、東京でのドラマチックな昇降運動を強調した視覚的イメージの奔流は、「心を和らげる(自然の)力の傍で若い時期を過ごした」という賢明なラコタ族の長老の言葉を熟考するきっかけとなった。◆10

コロナ禍の進行、数々の環境危機、ウクライナの戦火、そして東アジア地域の新たな緊張激化という今日の状況において、《朝露》は公認された歴史のなかの「失われた断片」へと私たちの目を向けさせる、時機を捉えた介入といえるだろう。この歴史の重荷を解き放ちながら、琴は複雑でリスキーな「代表性・可視性／不可視性・沈黙／発話をめぐる政治」の中心へと臆することなく身を投じている。そして私たちはジュディス・バトラーが著書『Frames of War（戦争の枠組）』と『Precarious Lives（生のあやうさ）』を通じて提示した「誰の生が〈生〉と見なされているのか？　そして究極的には、何が生をして悲しまれるに値するものとなるのか？」という問いに再び向き合うことを求められる。[11]琴の《朝露》やこのプロジェクトに参加した他の作家たちの作品の前に立ち、これらの公的・私的な歴史と私自身の関係性に考えをめぐらせていた私の頭に浮かんできたのは、アフリカ系アメリカ人の文筆家・歴史家のイマニ・ペリーの言葉だった。アメリカ史における植民地主義と奴隷制という「揺るぎない歴史」をめぐる近年の論考において、イマニ・ペリーは「何が記憶され、何が忘却されてきたか、あるいは、何が守られ、何が棄てられてきたかということが問題の一端となっており、それゆえに、過去を振り返り、記憶と忘却の編成を見極めることが重要となる」時代に私たちは生きているのだと主張している。[12]疑うべくもなく、《朝露》は物語の終着点ではない。解き放たれるべき重荷も、消えることのない「揺るぎない歴史」も、まだ残されているのだ。琴や「朝露」プロジェクトに参加した作家たちがそれぞれの旅路のなかで生み出していく作品をこれからも期待して注目していきたい。

1——Moira Roth, "Cuoc Trao Doi Giua / Of Memory and History" 収録：Dinh Q. Lê, From Vietnam to Hollywood, ed. by Christopher Miles and Moira Roth (Seattle: Marquand Books, 2003), p. 15. 参照：Moira Roth, "Obdurate History: Dinh Q. Lê, the Vietnam War, Photography, and Memory," Art Journal (2001), 60:2, pp.38-53, DOI: 10.1080/00043249.2001.10792063).

2——Soni Kum, "Decoding Karmic Code," 2013.（未刊行の論考）.

3——この事業は南北朝鮮の武力紛争を終結させた１９５３年の朝鮮戦争休戦協定の後に始まった。朝鮮戦争には和平協定が一度も結ばれておらず、この戦争は公式には今も継続している。参照：Tessa Morris-Suzuki, "Exodus to North Korea Revisited: Japan, North Korea, and the ICRC in the 'Repatriation' of Ethnic Koreans from Japan," https://apjjf.org/2011/9/22/Tessa-Morris-Suzuki/3541/article.html.

4——Brett de Bary, "Looking at Foreign Sky, Desperately Seeking Post-Asia: Soni Kum, Nagisa Oshima, Ri Chin'u," Asian Cinema 26, no. 1: 7-22 (2015). 以下も参照。池内靖子「琴仙姫の映像作品『朝露 Morning Dew - The stigma of being "brainwashed"』（二〇二〇）を読む」、「女性・戦争・人権」学会学会誌編集委員会編『女性・戦争・人権』21号、行路社、２０２２年、１０９—１２０頁。池内靖子「彼女の語りと身体—琴仙姫の映像作品をめぐって」、レベッカ・ジェニスン著、山家悠平訳「呉夏枝と琴仙姫の作品における『ポストメモリー』」、李静和編『残傷の音—「アジア・政治・アート」の未来へ』岩波書店、２００９年。

5——参照：https://en.wikipedia.org/wiki/Kim_Min-ki.

6——２０２１年４月２日、琴仙姫へのインタビュー。

7——同右。

8——同右。

9——同右。

10――Standing Bear, Indian Spirit, edited by Michael Oren Fitzgerald・Judith Fitzgerald, World Wisdom, Sacred Worlds (2006), p.10, www.worldwisdom.com. この作品は編集者 Michael Oren Fitzgerald と Judith Fitzgerald が１９７０年代に始めたアメリカ先住民の精神的伝統についてのフィールドリサーチに基づいている。

11――Judith Butler, Frames of War: When Life is Grievable (2010). および Precarious Life: The Power of Mourning and Violence (London and NewYork: Verso Books, 2004). 各々邦訳は『戦争の枠組み―生はいつ嘆きうるものであるのか』（清水晶子訳、筑摩書房、２０１２年）、『生のあやうさ―哀悼と暴力の政治学』（本橋哲也訳、以文社、２００７年）。

12――Imani Perry, South to America: A Journey Below the Mason-Dixon to Understand the Soul of a Nation New York (Harper and Collins, 2020).

笹山大志・竹川宣彰　オンライン対談（2021年3月17日）

キム・ミョンジュさんらドゥリハナ教会の4名を迎えた鳥取旅行の前半に同行し通訳や運転までをこなしつつ取材し新聞記事を書いて下さった朝日新聞の笹山大志さんと共に、旅行から一年が経過したこのタイミングで思い出を振り返ります。

竹川　笹山さんにとっては取材として、僕にとっては「朝露」の活動として、脱北経験者キム・ミョンジュさんを鳥取へ招待し彼女のお父さんの故郷の海を探訪する旅。あれから1年が経ちましたが振り返ってみて印象深い場面はありますか？

笹山　キム・ミョンジュさんの子供の頃の記憶としてはお父さんが鳥取の綺麗な海のことを話していたということでしたよね。本当にお父さんが見ていた海かどうかは分からないけれども鳥取のビーチを次々と訪ねて歩きました。いつかお父さんに会った時のためにいろんな海辺の動画を撮りためてお父さんにずっと一人で語りかけているわけです。「お父さん、この海ですか？　ここはとても北朝鮮の海に似ています。あそこで見た海みたいですよね」、「お腹が膨れている鳥がすごく北朝鮮の鳥に似ています」。あるいは「ここはモリで魚がつける場所ではないですね、多分ここではないのかな」などというふうに。電話ではないけれども話しかけるように一人で会話をしながら撮影している。いつかお父さんが見た時に会話になるように映像を撮っていることが会いたいのに会えない現状を表していました。普通はあり得ないことが目の前にある。今この時代に会いたいのに会えないような状況があるんだと痛感しました。

竹川　キム・ミョンジュさんと一緒に来日してくれたドゥリハナ教会の同僚のジョ・イェジンさんも北朝鮮に残っている家族と「会いたいのに会えない」境遇を負っていました。キム・ミョンジュさんには北朝鮮に残っているお父さんの故郷の鳥取が存在していて、北朝鮮、韓国、日本の三角形の構造がありました。

笹山　その意味でもう一つ思い出すのはカニの市場に立ち寄った時にキム・ミョンジュさんが「もしお父さんがあのまま北朝鮮に行かずに私が鳥取で生まれ育っていたら私はあのカニ売ってるおばちゃんみたいになっていたかな、今頃」と話をしていて、いや本当にそうだよなと思いまして。

竹川　彼女がカニを売っている姿を想像してしまいましたよね。

笹山　ホントに。当時は「地上の楽園」と呼ばれていた北朝鮮に帰国事業という形で渡りました。でも、実際に北朝鮮は地上の楽園ではなく、結果的に家族の分断、帰国した本人の一生を変えることになった。もちろん良いようにも転んだし悪いようにも転んだと思うんです、日本に残ったとしてもどちらにしても。しかしやはり帰国事業というのは色んな人の運命を左右しそれが現代にもずっと残っている。当たり前のことですが子孫の運命までも行方を変えた歴史なんだと痛感しました。竹川さんは何が心に残っていますか？

竹川　僕はチョン・ギウォン牧師が賀露神社でお祈りをした場面がとても心に残っています。

笹山　神社の階段で牧師さんに促されみんなで手を繋いだ時のことですね。

竹川　はい、とても不思議な時間でした。あの時に牧師さんが何を祈っていたのかは詳しく分からないけれども心に伝わってきました。キム・ミョンジュさんがお父さんに会えることを祈りましょうということだと思うんです。あの時あの輪の中で牧師さんの祈りに導かれながら今回のアートの仕事も忘れて自分に何ができるのだろうかと考えていました。急に哲学的な感じで何が正しくて何をなすべきかとふわふわと考えていました。あの時に笹山さんは何を考えていたのかと気になります。

笹山　写真を撮るのに精一杯でした。記事として良い場面になるのは間違いなかったからどういう構図で撮るかということで頭がいっぱいで。でもあの場所はもしかしたらお父さんが遊んでいたかもしれない場所だったんですよね。あの辺りは在日コリアンの方々が集まって住んでいた地区だと聞きました。お父さんがいたかもしれない場所で牧師という祈りの力を持っている人を中心にキム・ミョンジュさんのお父さんの故郷を見つけようという想いで集まった人たちで手を組んだあの瞬間。「この旅のハイライトはここだ」という気持ちで撮影していたことを覚えています。その時に何を考えたのかは忘れてしまいましたが。

竹川　あの後賀露神社を発つ車の中で笹山さんが会社に電話をかけて取材延長の交渉をしていたのを覚えて

います。上司の方が「本当にそれは記事になるのか？　頑張れよ」と心配していましたよね。

笹山　良く覚えています、ちなみにその上司が今隣にいます。あの時点では翌朝には帰らないといけませんでした。そもそもキム・ミョンジュさんのお父さんがここで生まれ育ったという故郷の場所が事前調査でも確定しませんでしたよね。だから僕の中で記事の扱いとしてそこまで大きくならないと思っていました。あくまで鳥取に行くだけの話なのかと正直思っていたんです。でも実際に二日目まで旅していてこれはめちゃくちゃ面白い……、面白いというのはつまり世の中の人に伝えたいということです。だからあの時に取材延長の交渉をしました。僕は本当は警察担当なのであまり県外で長期出張させてもらうことは良しとされてないのかもしれない。だから「許可が下りるか分からないけれど一回連絡してみます」ということで。そして「オーケーが出ました！」と言ったらみんな喜んでくれて。

竹川　記事の柱をどこに持って行くかがまだ定まっていない中での取材延長でしたよね。

笹山　そうなんです。賀露神社の時もいい場面ではあるけれど核心に迫れてないところがありました。しかしこの旅はまだ見続けていたら色んなドラマが生まれてくるんじゃないかという予感がしたのでできるだけいたほうがいいなと思ったんですね。そう思わせたのがあの手を繋いだ場面だったかもしれないです。

竹川　しかしドラマという言葉を借りるなら笹山さんはドラマを消費する側ではなく登場人物の立場でしたよね。

笹山　今思えば僕も一当事者になっていた気がします。取材者ということを忘れて。

竹川　そこで思い出すのですが、笹山さんが帰った後のことですが牧師さんに「竹川のモチベーションは何なの？」と聞かれたことがありました。

笹山　僕が帰る日にも境港のカフェでそんな話をした気がします。

竹川　では牧師さんとしては随分気になっていたのかもしれないですね。僕の時には日本語が堪能な牧師さんの奥さんのイ・キョンヘさんの通訳でお話しました。牧師さんは聖書に導かれ行動するけれど竹川は神を信じているのかと。「信じていないです」と答えたら「じゃあ何を基準に行動しているの？」と。ちなみに似たような疑問はキム・ミョンジュさんの中にもあったようです。彼女からは松崎の民宿「たみ」でのトークの時に似たような質問を受けました。その時も納得してもらえる答えを出せたのかは分かりません。

笹山　牧師さんにどう答えたのですか？

竹川　自分の内側には正しいことへの葛藤がありその中に現状を変えたいとか伝えたいという想いがあると伝えました。あまり上手に言えなかったような気がしますが。

笹山　僕が話したのはそもそもなぜそうした疑問を持つのかという部分です。キム・ミョンジュさん達については やはり北朝鮮の環境にいた過去が大きいです。手助けを受けて中国へ渡る間にも様々なことが起こるわけですよね。ジョ・イェジンさんは助けられた人からポルノのビデオチャットに出させられたりしました。

誰かが関わってくることや助けてもらうことになぜ？と思ったり恐怖心を感じたりしてしまうことがあるそうです。だから竹川さんが何のためにどんな利益があってこういうことをやっているのか。それが分かるまでは単に利用されているのではないかと若干不信感があったらしいんです。そして僕が「竹川さんはアーティストだから、どうやってアーティストの作品になるのかは分からないけれどこの旅を通じて感じたことをアーティストの心で何かの作品にしていくんだ」と話しました。「何が作品になるの？」みたいな反応でしたけれど。

竹川　笹山さんにしたら取材して事実を書くということはとても大事なことだけれどやはりジャーナリスト的な部分、表面的な仕事の奥の方には何かがあるんですか？　僕の牧師さんへの答えは結構曖昧でしたけれど笹山さんとしてはどう答えるのでしょうか？　ジャーナリストの矜持でも良いですし一人の人間としてでも良いですし。

笹山　それは二つともあります。まずジャーナリストとして。今までは帰国事業という言葉は聞いたことがあったし取材でも関わりましたが、どうしても昔の歴史のことという風に思っていました。植民地時代に日本に来た人々についても僕の中ではあくまで歴史だったし脱北という問題も知っていたけれどお隣の国の気の毒な話だなと思っていました。けれども今回の旅、脱北した娘がお父さんの故郷を訪れるという。それを通して歴史と現代史が一気に繋がって。今、日本で正直帰国事業のことをあまり知られていないじゃないですか。脱北の問題も隣国の話でしかなく北朝鮮のような国だったらありえるよねというレベルの話だと思うんです。でもやはり根底には、植民地時代の良し悪しはとりあえず歴史認識の専門家じゃないから控えたいんですけれども、日本と朝鮮半島の歴史の中で生まれたことが根底にあって今もこんな風に会いたくても会えない家族がいる状況がある。だからこそ今回の旅があった。それを目の前で体感したからこそ日本人も知っておくべき問題だろうと思い一人でも多くの人に伝えたいという想いが心の底に芽生えました。取材で本当にそこまで心から感情移入していると思うことが僕はあんまりないんです。

竹川　常に感情移入していると仕事にならないでしょうしね。

笹山　そう、どうしても仕事だからやっているという。そんな中でもすごく自分の中でこのテーマが大事だなと思うことになった。というのがまず仕事的な側面から。そしてもう一つは本当に一人の人間として。学生時代に韓国に1年間語学留学したのですが当時から歴史認識は何だとか日韓関係とか嫌韓／反日とかそういう話がありました。

竹川　一番そういう時期だったのかもしれないですね。

笹山　そしてやはり学生時代で青臭いですからどうやったらこういう問題は解決するのかお互いに相互理解が深まるのかという話になりまして。それからは結構本を読んだりもしてきていて、そんな中で一つこの旅がありました。今回の旅はみんな初対面じゃないですか。初対面って日本人だけで集まっても気まずくて話すことがないし尚且つ今回はお互いの言葉も分からない。みんなどういう思想を持っていたか分からないけれど日韓歴史認識も若干違うんだろうなというのもありました。牧師さんは日本に対して良い歴史認識を持っていなかったしお互いの思想や歴史認識も分からない。正直たぶん帰国事業という問題もそこまで詳しく知らない人が多かったと思います。言葉は知っていたかもしれませんが。そして脱北という言葉も本とか映画の中で出会うくらいのレベルだったと思うんです。しかしキム・ミョンジュさんのお父さんの故郷を一緒に訪ねて故郷の海を探しに行くということにみんなで一緒に取り組んだ。竹川さんもそうですけれど特に三谷昇先生なんかはいろいろと自分自身で下調べをしたりしてどこにかつての集落があるかどこの海が特に綺麗かなどを調べて情報を持ち寄ったりして。通訳も入れてキム・ミョンジュさんのお父さんの故郷を探すことにみんなで一緒に取り組んだことで本当に国境を越えたお互いの理解に繋がったと言いますか。あんなに短い何日間かの旅だったのに離れる時にお互いあんなに「絶対また会おうね」と言い合う仲にまでになったじゃないですか。

竹川　笹山さんが一足早く帰っていく時になぜか僕が泣きそうになりました(笑)。しかしあの時は確かにそんな雰囲気でしたよね。新宿で顔合わせの円卓を囲んだ日を初日としてもたった四日目のことでした。

笹山　そうですね。短い期間であれだけ距離が縮まって理解が深まって、こんな風に一つの共通の課題に向かって取り組めば国境とか国籍とか思想とかを越えて相互理解ができるんだなということを思いました。

竹川　キム・ミョンジュさんがお父さんを想うように、誰しも大事な家族と会えなくなったら苦しいという人としてシンプルな気持ちを囲んでいたのは大きいでしょうね。そういうところなのかもしれませんね。当たり前といえば当たり前だけれど人はこんな風に共感するんだと不思議でもありました。

笹山　そうですね、確かにそれは共感性があったかもしれないですよね。

竹川　ところで笹山さんは東京へ引越しされるのですか？

笹山　もうすぐ行きます。東京に行ったら申美花先生も会いましょうと言ってくれていましたので少し落ち着いたらまたみんなで会いたいですね。

竹川　申美花さんがいたからこそですね。一つ何かを作る、書くってすごく可能性のあることだなと。

笹山　大きかったですよね。確かにあの本（『脱北者たち』）が無かったらお父さんの故郷の海への訪問は実現していなかったですし。いやしかし旅を振り返ってみると楽しかったですね。

竹川　こういうテーマの旅でしたが思いのほか楽しい思い出がたくさんありますね。当初は昨年の夏にソウルのドゥリハナ教会にみんなで遊びに行きたいという話も持ち上がっていました。コロナウイルスが収束したら韓国の皆さんに会いたいです。牧師さんもきっと教会の繋がりでまた日本に来るでしょう。

笹山　昨日電話が来ましたよ。「どう？　元気にしてるか？」みたいに。久々にしかもグッドタイミングでした。「明日竹川さんと本のための対談をするんです」と伝えました。

竹川　本当に⁉　では一本の大事な繋がりの糸としてぜひ繋がっていてもらって、そしてまたみんなで会いましょうね。今日はどうもありがとうございました。

山本浩貴＋高川和也《証言》——現れを巡るいくつかの考察

崔敬華

アーティストとして活動しながら、トランスナショナルな視座から東アジアの近現代史と美術史の研究を行ってきた山本浩貴と、インタビューという対話の形式をラディカルに変更し、自己と他者の枠組みや境界を探ってきた高川和也。二人が共同制作した本作《証言》は、元「帰国者」で木下公勝と名乗る人物への複数回のインタビューと、三人で行った共同作業の記録を編集した映像を軸に、木下が家族への警告をしたためた切手や、日本に戻った後に描いた絵画、そして木下の紹介文で構成されたヴィデオインスタレーションである。異なる領域で自らの内と外を探究してきた山本と高川のコラボレーションが、日本と朝鮮半島のコロニアルな歴史と、その延長線上の政治的な確執に翻弄され続け、宙づりになった個と向き合い、発露しえたものは何か。本稿では映像をベースに考察する。

「しかしあの、夢の話は証言になりますかね?」と驚いた様子の木下の問いかけで、映像は突如始まる。一瞬黙り込んだ後、慎重に諭すように彼は続ける。「証言というのは、実際に自分が現実の世界の中で体験したこと、それを明確に明かすわけなんですよ。……だから証言となるとね、向こうで、あの、金日成、金正一、金正恩体制に対して体験したこと、見たこと、聞いたことを、そのまま話すとそれが証言になるんですよ」。

1959年に始まった帰国事業に関連する当時の報道資料や、北朝鮮にいた頃の木下の写真などを挟みながら、映像は彼の「証言」をたどる。帰国事業が始まった前後の1950―1960年代、在日韓国・朝鮮人は制度的、民族的差別を受けながら、その多くが貧困にあえいでいたこと。日本で生まれた木下が10代の頃、父親の決断で、北朝鮮や朝鮮総連が「地上の楽園」と謳っていた北朝鮮へと渡ったこと。着いた先では、ブルジョア思想に染まった「キポ（帰国同胞の略）」または「チェポ（在日同胞の略）」として蔑視され、差別と監視を受け苦悩したこと。

木下の語り口は整然かつなめらかで、彼がこのような「証言」を提示することに慣れているのが伺える。展示されていた紹介文にもある通り、木下は2000年代に日本に戻った後、書籍の出版や講演活動を通じて自らの経験を語り、北朝鮮の体制を批判してきた。

高川と山本が行ったインタビューで、木下の語りをそういった「証言」の規定路線から外したのは、二人が投げかけた、北朝鮮で見た印象的な夢はどのようなものだったかという問いであった。それは場を和ませるために、何気なく投げてみた質問であったという。しかし、夢という個の領域に触れようとした、本作の鍵となったこの問いかけは、政治的スティグマを負う他者としての木下と、マジョリティの日本人としての山本と高川という、バイナリーな関係性を規定する磁場を浮上させる。また、作品制作のために対話を要請するアーティストと、その要請の社会的意義を体現する他者という、潜在的に暴力的な関係性をにおわせるが、二人がそれにどこまで自覚的であったかは、ここでは不明瞭である。

この問いかけへの木下の反応は、アーティストたちにとっては思いがけないものであり、二人のその驚きと困惑と好奇心が、このプロジェクトにひとつの方向性を与える。木下は夢について語りながらいっそう饒舌になる。保衛部に追われていた木下が、見知らぬ高齢の男性に助けられたという夢での出来事や情景や男性の人物像を語り、スケッチする。往々にして、夢は思い出したり語ろうとすると記憶からするりと抜け落ちてしまったり、おぼろげになってしまうものだが、ここでの木下の夢は、彼が語るほどに細部が明らかになってゆく。

山本と高川は、そんな木下の夢をどんどんと汲み上げる。夢の中で男性が木下の腕を掴み、彼に逃げるべき方向を指した瞬間を、二人がポーズで描いてみる。木下が描いたスケッチと男性の似顔絵を元に、他の描き手が詳細なデッサンを描いてゆく。木下はそれらの過程で都度細かい説明をし、新たな要素を加え、修正をかける。ぴたりと隣り合わせに描かれたアパートを指して、これでは「非現実」なんだと言う。そうして自らの夢を描いていた木下は次第に描かせる方へと移行し、三人の間に浮遊する夢と記憶、虚構と現実を攪拌し続ける。筆者にはそれが、木下と、彼の夢を引き出し続けたアーティストたちとの間の、目的を共有しない共謀のもとに現れた奇妙な緊張関係として映る。それぞれの動機や意図を窺い知ることはできない。アーティストたちが木下の語ることをどう受け止めたかを示唆するものも慎重に取り除かれている。

高川は、木下が日本で見た夢——息子と雪の中を行く途中、火を起こし、凍った弁当を温めて食べたという話を聞きながら、それは北朝鮮で実際にあったことではなく、夢として出てきたのかと尋ねる。実際にあったことだと答える木下の横顔はゆっくりとフェードアウトし、その場面を再生しているコンピューターが置かれた薄暗い室内に置き換わる。その映像を見ている木下の声が入る。「うーん、よくできていますね」。山本と高川の、安堵と困惑が入り混じったような笑い声。それにかぶせるように木下は続ける。「なんか、現実そのままですね」。

この一連のシーンは、木下が描いた夢や現実、個としての木下、そして三人の関係性の現れにいかようにも介入しうる、メディアとしての映像とアーティストの力を露わにしている。三人の間で着地することのない「現実」は、その力に作用する三人それぞれの現れを巡る欲望や、互いに誠実であろうとする意志のもつれの証なのかもしれない。

描き上げられた夢のデッサンに木下の声が重なる。「もし（そこに）その爺さんがいなかったら、私はこの場にいなかったはず」。木下が繰返し生きてきた過去を「この場」につないだ彼の言葉は、山本と高川の内にある現実を揺さぶっただろうか。それとも、イデオロギーと政治の対立が生成してきた隔たりに飲まれていっただろうか。

夢と現実の境界が自明性を失ったとき

高川和也

本作《証言》(2020)は山本浩貴さんとのコラボレーションで制作したビデオインスタレーションの作品である。

2006年に北朝鮮から日本へ脱北した木下公勝氏(仮名)への「聞き取り」をベースとしたビデオと、木下氏が描いた鳥の絵画、彼が北朝鮮に居る際、日本に住む兄へ送った手紙の切符(切手の裏側には兄へ宛てたメッセージが書かれている)の3点から展示が構成されている。映像の前半部分では、木下氏が北朝鮮に渡る前の日本での暮らしや帰国した後に現地で体験したこと、後半部分では北朝鮮で見た夢の話と、その話をもとにドローイングで再現する試みが映し出されている。『北の喜怒哀楽——45年間を北朝鮮で暮らして——』の著者でもある木下氏は、多くの講演会やシンポジウムに登壇してきた経験もあってか、自身が体験したことについて話すのに長けていた。(複数回にわたる取材撮影の中で「分からない」や「覚えていない」という返答は一度もなかった。)僕達の質問に対して、常に何らかの返答をするという態度は最後まで一貫していたのだ。それが彼の超人的な記憶力によるものなのか、あるいは作り手であった僕達への配慮によるものなのか定かではないが、少なくとも本作のベースを「聞き取り」で進めていくことができたのは、そうした木下氏の態度による部分が大きい。

2019年5月、展覧会が開催される約1年半前に山本浩貴さんからコラボレーションの誘いがあった。

僕はそれまで「帰国者（または脱北者）」という名前すらも聞いたことがなく、帰国事業の歴史や、その方々が今も北朝鮮に住んでいることについて知らなかった。全く予備知識のない僕がこのテーマを題材としたプロジェクトに参加するのはあまりにもハードルが高く、話をもらった当初は「本当に僕でいいのかな?」という疑念が拭えなかった。しかし、今回は歴史の調査をベースとした資料の提示ではなく、自分達の関心（名付けの問題や自己／他者の境界など）に紐づけてテーマ

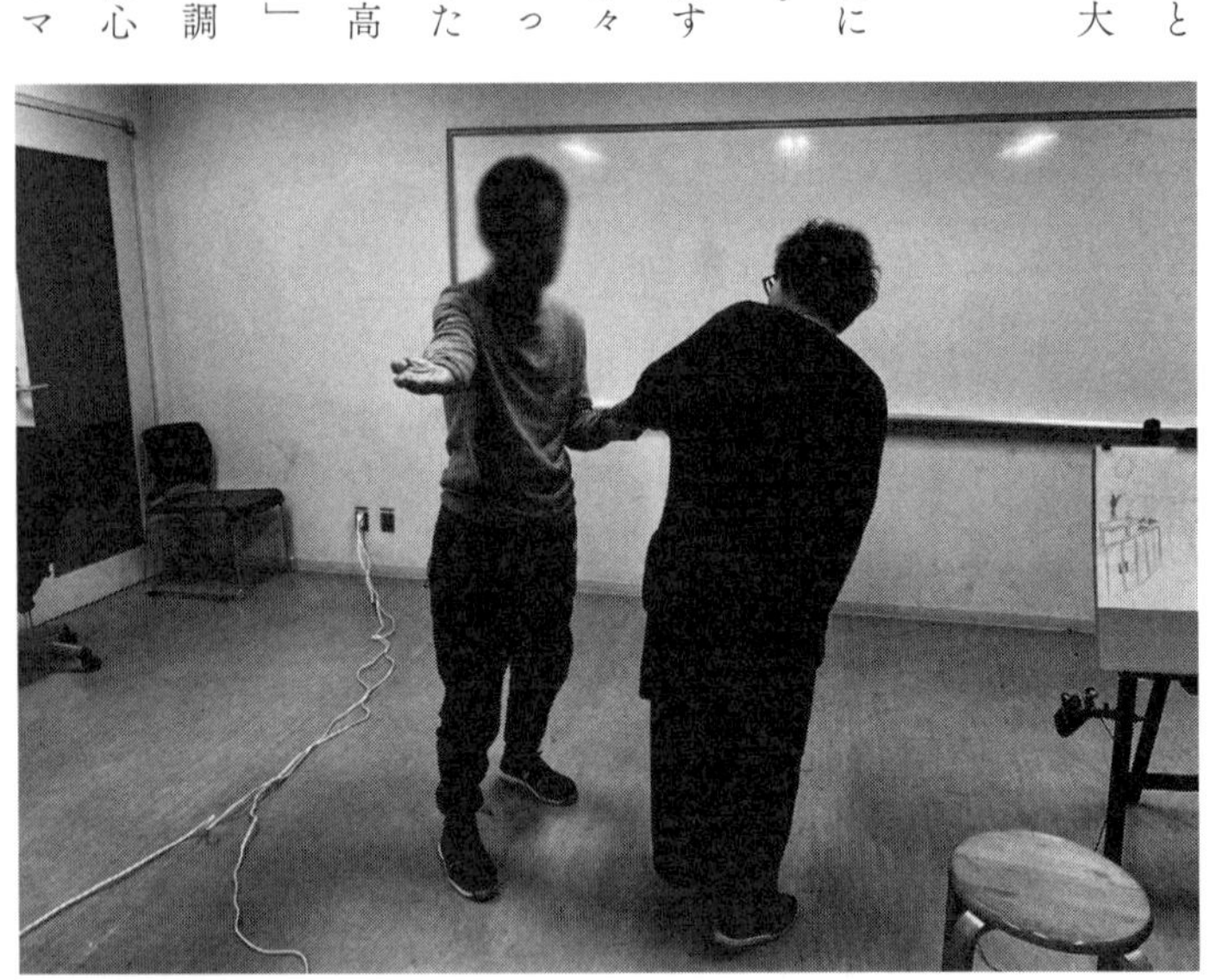

夢で見た情景を説明する木下氏

を捉え直してもいいんじゃないか。あるいは「帰国者についてよく知らない」という立場から発見できる視点もあるんじゃないか。という話を聞いたときに、もしかしたら自分にもできるんじゃないかと考え参加を決めた。

当初は帰国事業に関わるシンポジウムや書籍を通してその歴史や現状について調べていた。作品を作る上で、まずは大枠の背景の理解が必要であると考えていたからだ。木下氏（仮名）とコンタクトを取り始めた当初も彼の実体験を中心に、北朝鮮での生活で一番辛かったこと、脱北を決意したときに家族に対してどの様に話したかなど、これまで彼が何度も話してきたようなトピックについて取材を行っていた。

しかし、あるタイミングから聞き取りの性質が変化し始める。

たまたま取材の合間に聞いた「北朝鮮にいるときに見た夢」の話が発端だった。何十年も前に一度だけ見た夢であるにもかかわらず、彼はそれがまるで実体験であるかのような「現実味」を醸して話し始めたのだ。夢の中に現れた人物の顔つきや年齢、服装や所作に始まり、登場人物の立ち位置やメートル単位で示される地形など、通常であれば到底思い出せないような細部が含まれていた。また話を深掘りしていく中で、夢と現実が地続きになっているような話も出てきた。例えば、「（夢の中に出てきた）お爺さんがいなければ、自分は今頃強制収容所に入れられていただろう」や「保安官から逃れた後に、近くにある姉の家に1ヶ月ほど匿ってもらった」などがそうだ。それが夢の話であるとするならば、その情景の先に未来が含まれているのには違和感を感じる。半信半疑であると同時に、ある種の興奮を覚えていた僕達は、口頭による取材だけではなく木下氏の話を基に、その情景をイメージ(画像)に落とし込むことを考えた。描かれるイメージを拠り所にして「これは合ってる」、「これは違う」といった具合に細部を詰めていくことができると考えたからだ。しかし、それが本当に夢の話なのか、何か別の記憶によって補完された話であるのかは今も定かではない。夢か現実かの判断は棚上げにした状態で、とにかく細部を描写していくことで木下氏が見た情景に接近しようと考えたのだ。その過程は夢の具現化というよりも、ある事件の現場検証の様相を呈していた。あるいはそうした設定の中で、証言する者、聞き取りをする者という役を僕達三人で演じているかの様な奇妙な感覚があった(他の二人も同様だったかは定かではないが、少なくとも僕自身はその様に感じていた)。

木下氏が北朝鮮で見た夢の話は、それが文字通り夢の話なのか、現実的に体験した話なのか、それとも両方が混同された話なのか未だ明らかになっていない。実はその前提について僕自身はあまり関心がなかった。それよりも細部について話せば話すほど、その情景以上に際立ってくる木下氏の固有性(独特な言葉の選びやトーン、仕草)つまり、語られる内容よりも語り口に興味があった。取材を始めた当初、僕は「脱北者」に会いに行っていたが、回を重ねるごとに「ちょっと変わったおじさん」に会いに行くようになり、いつしか木下氏に会いに行くようになった。「現実の世界で体験したことをそのまま話すと、それが証言になる。」という木下氏の言葉を借りるならば、夢／現実の境界が自明性を失ったとき、彼が見た夢の話は証言として成立するのだろうか。あるいは何を証言しうるのか。

作品の発表を経た今、「帰国者（または脱北者）」あるいは「証言」というテーマについて多少なりとも自分の考えを巡らすことができるようになったのは、最初にきっかけを与えて下さった山本さん。作品への協力を引き受けて頂いた木下氏。帰国事業に関わるイベントや書籍の紹介など、リサーチの足がかりを与えてくださった仙姫さん、その他多くの方々の協力や援助があってのことだ。最後にこの場を借りてお礼とさせて頂きたい。

李静和からの応答

（シンポジウム「ソーシャリー・エンゲイジド・アート 琴仙姫の『朝露』プロジェクトについて」より抜粋、編集）

ここでは、２０１９年6月22日に東京藝術大学上野キャンパスＧＡ講義室で開催されたシンポジウムから、李静和氏の発言箇所を抜粋して掲載する。シンポジウムは2部構成で、第1部では、琴仙姫と参加アーティストによるプレゼンテーションおよびキュレーター、プロジェクトコーディネーターを加えたディスカッション、第2部では李静和ら研究者、批評家が1部のプレゼンテーションを受けて議論を展開した。琴仙姫は、２００６年に李静和が責任者として携わったプロジェクト「残傷の音——『アジア・政治・アート』の未来へ」（沖縄・佐喜眞美術館、２００９年に岩波書店から同名書籍刊行）にアーティストとして参加し、映像作品を出品している。

みなさん、こんにちは。李静和と申します。

作家のプレゼンテーションへの「応答」をするように言われてこの場に来ましたが、やはり緊張しますね。改めて応答の意味を考えましたし、今日は一生懸命に聞くことかなと。こういった場にはなるべく出ないようにしていましたが、逆にこれまで逃れてきた者として、今話す日本語への危うさも含めて、言葉でほんの少しでも運べるかなと考えています。

日本に渡ってきてたくさんの出会いがありました。その中で、ソニさんとの出会いは、2006年より少し前ぐらいでしたか。友人の嶋田美子さんの紹介で、ある小さな画廊で初めてお会いしました。今、配っているのは2004年に私にとってはかろうじて書けた追悼の文章（編注：「思想の言葉『影の言葉を求めて……――いまだ幽冥の場所から』」『思想』2003年11月）です。私の友人であり、ここにいらっしゃる何人かの友人とも非常に親しくしていた如月小春、岸田理生、それから千野香織。この三人がいなくなって、ぽつんと一人で残されているところにソニさんが現れて……。なぜこの話をするかと言うと、2004年前後は、今ではヘイトスピーチという言葉がはっきりとあるのですが、当時はそういう名づけすらなく、なんとなくそういう雰囲気が広がっていく時間の中でした。三人の友人を送ってから、追悼の文章をよく依頼されたのですが、なかなか日本語で書くことができなくて。

先ほど竹川さんが自分の背の高さと作品の話をされましたが、本当に、本当に素晴らしいと思いましたね。理生も竹川さんと同じく、実は背がすごく高くて、私に会うといつもしゃがむように体を沈めるのが習慣になっていました。まるで下の方から人をこう見つめるような、不思議な目で見つめる人でした。ソニさんと初めて会った時に、目眩がするくらいに全く同じ表情を見たわけですね。それは、ソニさんがアメリカに行く前に、日本で朝鮮学校に通いながら経験した自分のモノローグのような身体論を持つ作品を発表しているのだけど、発表することを非常に恐れているようなそんな時でした。

今日はみなさんと、ある「恐怖」と「不安」をどのように共有し合うか、あるいは分かち合えるか。あるいは「恐怖」と「不安」という問題を改めて考えるというか、共に経験できればと願っています。

実は恥ずかしい話なんですが、ソニさんの発表を聞くたびに、私の身体は震えてきます。これは長い間、韓国という南の国で、それこそ小中高時代を過ごしてきた私の身体に深く刻まれている教育というんでしょうか。安保教育も含めた何かが、何歳になっても、友人たちといるこのような場でも、消えることなく突然得体の知れないかたちをして、ふっと現れてくるんです。すごく生々しく。今回、ソニさんの発表を機会に調べてきましたが、韓国では特にこの20年間、お互いを知るために、日本でいう「北朝鮮」、韓国では「북한（プッカン）」といわれている地域に対する研究が進んでいます。

1990年代後半、北における飢餓の問題があまり外部に知られておらず、隠蔽されていた時期に、不思議にも韓国では民主化運動と共に、北朝鮮を知ろうという運動が広がりました。ここ1年間でも私は、北朝鮮で今読まれている小説、文学に触れ、例えば北朝鮮で女性として生きることについてなど、非常に些細な日常レベルの研究資料にも接しています。にもかかわらず、こういう話になると、わけのわからないある種の「恐怖」と「不安」、あるいは身体の揺れがフッとまた顔を出す。これは、どういうことなのかなという。

今日四人の作家の方々から素晴らしい言葉をいただきましたが、その「恐怖」と「不安」というものを通じて、あるいはそういう経験というものはどういうことなのかを考えながら応答したいと思います。

私が好きでよく引用しているジャン・ジュネという作家がいます。彼はあるところで、「祖国」という問題について触れています。「祖国すなわち国（nation）はない。〃祖国〃とはせいぜい脅かされた国、不幸な目に遭い、傷つき、あるいは動揺する国であるだけだ」と。「祖国」、自分の国という感覚ですね。例えば１９５０年代末から60年代にあの船に乗って北に渡って行った人々。たぶんそれは「祖国」に帰りたいということだったのでしょう。しかし、そこから再び逃げてきた、脱出してきた人たち。また、そこに残された家族たち。おそらく世界中で、今現在も移動し合う人々の多くの中に流れる思い。それが憎悪の対象であろうと、あるいは愛の対象であろうと関係なく、ある枠として、身体のある部分としてあるもの。

ジャン・ジュネは次のように続けます。「危険が過ぎ、あるいはその演劇性が崩壊してしまえば、国は再びもっと精妙な統治の歯車の部品に戻してしまう」。それはたぶん「祖国」と呼ばれるその対象を含めて、あるいはそれをある実態として求めるある人々をも含めて、このような感覚、感触。そこから出てきて、そこを探し求めて、逃げてきて、あるいは逃れてきて、隠れてきて……。この時、アートというこの分野では何が可能なのか。

私の個人的な願いは「国家の外」で考える、想像する可能性というものをつくりうるかということです。この場合「国家の外」をどういうふうに設定するかについては様々な想いがあると思うんですけども、個人的にはその問題を常々「国家の外」での〃生〃をどういうふうに想像するのか、あるいは果たしてそれがどういうふうに、いかにして可能なのかという問題と共に、「恐怖」と「不安」という問題――にもかかわらず出てしまう、ふと顔を出してしまう――をどういうふうに抱えるか。どういうふうに言葉で表せばいいかはわかりませんが。

それに関連して現在様々な場所でポリティカル・アフェクトを巡る議論もなされています。先日韓国で、女性／性暴力／セクシュアル・マイノリティー／難民／身体を巡る慎重なアプローチを試みるシンポジウムに参加しました。しかし、どうしても集団化して現れる名指しのことを、〃脱北者〃のことも含めて考えないといけない気がします。先ほど山本さんも「脱北者」という名指しと、そこに生じる問題を作家としてどうやって打ち返すかについて何回か強調されました。竹川さんもまた、「再構築」という実践を繰り返されました。

ソニさんも自分の生にまつわるある種のストーリーを語っているようだけれども、実はそこからいつも少しずつ少しずつはみ出していく。特に今日見せるのを最後まで避けていた、インドで滞在制作した《Dear dear》という作品では、愛し合う日本人妻と在日朝鮮人の夫が、後に「帰国者」として北朝鮮に渡り、そこでどんなに苦労して生きて亡くなったかという痛々しい物語の朗読で始まります。そこから映像がインドにふっと移動して……、自分と動物との平等な、愛情というんですかね、まさしく「Dear dear」の世界、非常に不思議な作品です。言葉にするよりは、作品の隙間からぽっと出てしまう新しい可能性みたいなものを私は感じました。ここにおられる方、一人ひとりが、今日はたくさんの友人も来てくださいましたが、このプロジェクトが始まる証人になってくださることを強く願います。

2009年に出版した『残傷の音』の「応答」というかたちで、2013年にソウル市立美術館で全く同じ方法論で2日間、作家と人文学者たちの言葉が交差する集まりがありました。私は「残傷の音」の責任者として参加しました。1987年に統一への切望を込めた大作「モネギ」（田植え）を発表し国家保安法違反に問われて拘束されたこともある民衆美術家シン・ハクチョル（1943年生まれ）の作品と素晴らしいお話もありましたが、中でも、Part-time Suiteという2009年に三人で結成され、今は1978年と1984年生まれの作家のデュオで活動している若いグループの作品に触れたいと思います。

今日は、作品そのものの紹介はできませんけども、お伝えしたいのは、特別な経験をしておらず、いわゆる特別な歴史的記憶もない、しかし何か残余というか、残された身体の記憶とある特定の空間の関係を巡って、常に問いかける作品を発表し続けている作家たちです。作家たちの言葉を使えば、カジュアルな日常的な身体の記憶から、例えば旅行の感覚でDMZ（非武装地帯）という民間人が入ってはいけないところに偶然入って、そこを車で移動するんです。みなさん知ってのとおり、私たちのスマートフォンの中にはGPS機能がついていますね。ナビゲーションや様々なデバイスなど、本来は軍事システムから生まれたものが、今は日常化され身体化されている中で、しかしDMZという、もはやGPSでは捉えられない場所で、思わぬことに自分の身体が消えてしまうような経験をするわけです。そうした経験の繰り返しの記録をアーティストの身体を直接晒し出すことによっての映像。つまり、記録の〝不〟可能性への問いですね。

長い反共教育と、いまだに続いている分断状況の中で活動している、世代も経験も異なる作家たちが二日間集まって「国の外」というんですかね、あるスッと漏れてしまう空間、あるいは漏れてしまった身体の記憶みたいなものを話しあう場に……、私自身の経験も重ねることができた時間でした。それは、先に述べた「残傷の音」への応答の時間でもありました。

こうした想像力あるいは作業、活動が、今いるこの場を含めいろいろな場所でお互いに交錯しつつ行われているかもしれません。そう願いつつ希望を持ちたいと思います。そういう意味として、今日の四人の作家の始まり、新たな始まりの場所にいることができたことへ感謝すると共に、これから生まれる作品をみなさんと一緒に見守っていけたらと思います。

ありがとうございました。

沈みゆく船たち

琴 仙姫

隷属化の記憶

奴隷船

インタビューした元「帰国者」の一人は、帰国船を奴隷船と喩えた。当時「帰国者」たちは朝鮮戦争で破壊された瓦礫の中から「国家を再建する」ための有用な労働力として捉えられていた。

大西洋を横断した奴隷船と帰国船の違いがあるとすれば、乗船する「帰国者」が「劣等人種」という人種差別的な基準に基づいて選ばれたのではなく、社会主義の「祖国」に住むという宣伝に高揚して乗船した点である。一方で、先に渡った「帰国者」の知らせを受けてもなお半信半疑のまま乗船する者や、苦難の中にある「祖国」の復興に貢献しようと愛国心から移住を決意する者も少なくなかった。日本にいる間は鎖と暴力で繋がれてはいなかったものの、ひどい差別に遭遇していたため、祖国不在の心の隙間に入り込むように説得され「連れて行かれた」。

帝国主義と植民地主義、社会主義と資本主義の両極の狭間に形成された渦中に容赦なく引きずり込まれ、命を落とした人々を多く見送ってきた元「帰国者」たちの話を聞くことで得られた教訓とは何だろうか。

かつて日本と朝鮮の間に存在した支配者・被支配者の関係は半世紀以上前に消滅したが、その残像は「帰国者」の語る奴隷船のイメージと間接的に重なっている。大西洋横断奴隷貿易の事実は広く認知されているが、国家的な動員としての太平洋をまたいだ奴隷貿易はあまり認知されていない。その一連の取引の中には、国家間の貿易協定による朝鮮戦争で破壊された瓦礫の中から「国家再建」のために有用な労働力とされた在日朝鮮人の北朝鮮への移民が含まれている。

19世紀末から20世紀初頭にかけての植民地主義による占領の後、ポストコロニアル諸国の家父長制権力者たちによって、帝国的な市民動員の様式が旧植民国にも内面化された。奴隷制度は身体を搾取するべき労働力として非人間化するものである。植民地時代の隷属化への記憶の保持は、同じ肌の色のために曖昧にされやすい。黙っていれば社会に順化することができるし、大きな社会に「調和」することができる。

北朝鮮に住む人々は歴史的無意識の中で、日本の大義のために存在した元「従者」として刻まれている。隷属化は生まれながらの劣等感を主張されるから正当化される。日本は北朝鮮を国家として永続的に「悪」

とすることで、朝鮮半島の植民地化を合法化することができる。北朝鮮が独立を果たし繁栄することができないことを証明することによって、大東亜共栄圏のプロジェクトを正当化することができる。

エドワード・サイードは次のように述べている。

……いまのところ、西洋近代の帝国主義と文化との根深い共生関係を排除することそのものが、帝国主義と文化との癒着の結果といえよう。……このような省略なり否定は、わたしのみるところ、脱植民地化に反対するあくどいジャーナリスティックな論争のなかに、ことごとく再生産されている。その種の論争では、帝国主義を擁護する側は、おおむねつぎのようなことを十年一日のごとく蒸し返している。すなわち、あなたがたが現在あるのは、帝国主義のおかげであるとか、帝国主義が去ったあと、あなたがたは現在の嘆かわしい状態に陥ったのだとか、このことを肝に命じておかなければ、何も知らないに等しいことになる、なんとなれば帝国主義については、それが現在においてあなたがたを助けているか、わたしたちを助けているのかのどちらかであって、それ以外に、帝国主義について知るべきことは、ほかにあまりないとか。◆1

難民と無国籍者は一九一九―二〇の平和条約以来、国民国家をモデルとして新設された世界のすべての国々に呪詛のようにまとわりついている。新しい国々にとってこの呪詛は死病の萌しに等しい。なぜなら国民国家はそのすべての市民が法の前に平等でなければ存立し得ないし、またいかなる国家といえども、もし住民の一部が一切の方の埒外に立たされ、事実上法の保護から追放されている(vogelfrei)ならば、けっして存続し得ないからである。

ハンナ・アーレント◆2

移住労働者は階級構成要素の最下層であり、それゆえ不浄とみなされる。国内情勢を不安定にする勢力は、往々にして国外追放、処刑、そして収容所や強制収容所への収容によって排除されてきた。また、別のグループは、マスターの文化に同化させ、生き残るために沈黙を守ることが課せられた。帰国事業はかつて労働力として必要とされた労働者の中から、動乱をもたらす不純な人々を排除するための日本政府による国外追放事業とも喩えられる。◆3 同時に、帰国事業は北朝鮮政府にとっては無償の労働力を獲得するための事業であった。このキャンペーンに使われたレトリックは壮大であり、日本から北朝鮮へ大量の人口を操作するために効果的に作用した。

1959年、清津港に降り立った在日コリアンは、すぐに日本には戻れないことを悟った。帰国船のチケットは片道切符だった。しかし、その状態が永続的に続くことを予測できた人はそう多くはなかった。彼らは、慣れ親しんだ食べ物、気候、人、文化、政治環境から切り離され、極限状態に置かれた難民となった。日本からの「帰国者」と現地の人との経済格差は目に見えて明らかだった。「帰国者」は肌の色から異なっていた。栄養失調で黒ずんだ現地の人の肌の色に比べ、「帰国者」の色は白くふくよかであった。現地人は痩せていて「異様な体臭」がしたという。港で「帰国者」が祖国の姿に幻滅してからでは遅かった。

清津港に降り立った「帰国者」の多くが、不吉な予感に襲われた。実際、「帰国者」たちの生活は彼らの想像以上に過酷なものだった。在日コリアンをめぐる帰国事業は誤算の連続であった。北朝鮮側は在日朝鮮人が同情して助けるべき「乞食のように」貧乏な在日同胞を予想していた。しかし、港に現れた「帰国者」たちは、あたかも日本でより良い生活を送っていた裕福なブルジョワであるかのように見えた。この誤算は致命的で、「帰国者」は現地人の妬みと憎しみの対象となり、朝鮮で最も苦しい時期から日本に逃げてきた放蕩者、裏切り者とみなされ、犯罪を犯していないにもかかわらず徐々に犯罪者扱いされるようになった。

国家の法では通常、犯罪の罰として自国民を殺すことができる。韓国、日本、北朝鮮という三つの国に部分的に属していた「帰国者」の命は、どの国からも「余分なもの」であり、擁護されなかった。彼らは、移住して異国の地の「水を飲む」ことによって変異した存在であり、もはやこれらの国に完全に属することはできなくなっていた。

メディアを通じてセンセーショナルに報道された日本人拉致被害者の権利とは対照的に、「帰国者」の権利を主張する者は一握りの家族を除いては存在しない。また、拉致被害者の場合とは異なり、日本人妻の場合は、その家族でさえも権利を主張することがないことが多かった。日本人配偶者は、不浄とされるカーストの低い朝鮮人と結婚したため、家族から勘当されることもあった。彼らの苦しみと死は、失踪後何十年もの間、世間の認識や哀悼の念から遠ざかっていた。1930年代から1950年代にかけて生まれた多くの日本人は、北朝鮮に渡った同級生との記憶を覚えていることが多い。これらの人々の心の奥底には、「帰国者」の存在の影が残響している。

元「帰国者」の取材を通して共通して聞こえてきたのは、「日本に帰ってこられたことは非常に幸運であり、安堵している」という証言である。中には日本政府の生活保護で生活していることに恥ずかしさや罪悪感を感じている人もいる。日本で自分たちが差別されていることを責めることはしない。日本では少なくとも、不審な行動をとれば通報されるような隣人の監視下に置かれ生活を脅かされるようなことはない。同時に、元「帰国者」たちは、北朝鮮にいた家族や友人が「温厚で愛情深い」人たちだったことを懐かしく思っている。

「日本では近所の人が冷たい」と感じることがあるという声が多く聞こえた。差別に遭い、スティグマを負うのを防ぐため、脱北したことを公言する人はほとんどいない。中には、迷わず日本国籍を取得した人もいる。他方で韓国籍を希望する者もいる。状況は様々で、個人差がある。

「敵地」の水を飲んだ身体

原住民がコロンの町に投げかける眼差しは、淫蕩の眼差し、羨望の眼差しだ。所有の夢だ。ありとあらゆる所有の仕方を人は夢見る——コロンの食卓につくこと、コロンのベッドで、できればコロンの女房と寝ること。原住民は羨望家だ。

フランツ・ファノン[4]

プロジェクトを通して、怒りと憎しみの対象として異邦人の身体が使われ続けることに危機感を覚えた。北朝鮮の現実は私の想像以上に過酷で荒廃していた。異国の地で「水を飲む」体験をした「帰国者」たちの豊かさに現地の北朝鮮人は嫉妬と羨望を抱くようになった。技術的に高度な通信手段がない時代、清津港に降り立った在日朝鮮人の身体は日本での生活がはるかに豊かであることを現地の人々に生き証人として示した。

ある元「帰国者」は「何を食べたら頬っぺたがふくよかに肌が白くなるのか」と現地の中年女性に質問された話をしてくれた。

また、映像に登場する石川学さんは、「帰国者」が持ってきた日本製のセイコーの時計が、月給60ウォンの時代に800ウォンという高値で取引されたという話をしてくれた。西洋文化への憧れと日本製品への憧れが、北朝鮮における「帰国者」という身体的存在を通じてこの頃から顕在化したのである。集団的無意識において、裕福になるには、盗み、略奪、密輸など犯罪的なことをしなければ可能にならないという前提がある。日本が北朝鮮という国を犯罪国にしたように、北朝鮮も日本やアメリカを犯罪国にした。北朝鮮に移住した在日コリアンの身体には、人々の様々な複雑な感情が投影された。帰国事業が始まって間もなく、彼らは裏切り者、あるいは邪魔な存在とみなされ始めていた。一方で、現地の人々が精一杯準備したものは、「帰国者」にとっては十分なものではなかった。歓待されても、「帰国者」にとっては、みすぼらしい生活としか感じられなかった。これらの一連の出来事は避けられない感情的な葛藤を生みだした。

国境を越えるたびに、移住者の身体にスティグマを負わせられることが繰り返された。移住者の身体は不要なものとして送り出されたり戻されたりした。その後、北朝鮮から中国に不法に国境を越えると、再び犯罪者にされた。北朝鮮政府が脱北者の身体を中国から呼び戻そうとするのは、彼らの安全を守ためではなく処罰するためである。そして、このスティグマの連鎖は元「帰国者」が日本に帰ってきた際にも、繰り返された。

国家の形態をとった監獄

「国そのものが牢獄のようだった」と元「帰国者」の一人が証言した。

北朝鮮の日常生活には、内なる敵がいるという考えが浸透していた。社会主義体制の中で「社会を良くするために」互いに批判し合うことが日常的に行われている。それは結局、国民をバラバラにし著しくお互いを傷つけることになった。相互監視下に置かれ密告者が国中に潜んでいた。「帰国者」というレッテルは危険因子として認識され、数十年たっても現地の北朝鮮人と差別されるカーストとして残った。マグチャビ[5]によって強制収容所に送られたのは、全体の「帰国者」のうちの10%とも言われている。収容所には収容されなかったが「帰国者」は例外なく常に監視されていた。

政治的に対立している二つの国の国境を越える時、移民の身体はしばしば対立する政治勢力のスケープゴートとして利用される。「帰国者」は敵対する国の罪と犯罪を体現していた。そのため、彼らは半ば犯罪者として扱われ、常に監視を必要とし、保護観察者のように扱われた。最悪の場合では「帰国者」を「抑圧者」の国である日本に、より良い生活を求めて移住した「裏切り者」とみなし、日本植民地時代とその後の朝鮮戦争で「外国からの侵略者」に対して共に戦わなかった罪深い人として疑心の目で見る者もいた。在日コリアンが一度旅立った「祖国」は、もはや彼らの記憶にある「祖国」ではなかった。「帰国者」は「集団的苦難」の経験を欠くため、裏切り者、卑怯者というスティグマを負わせられ、市民の嫉妬と怒りの的となったのである。

北朝鮮政府は「帰国者」の身体を罰することで、不吉な要因を取り除こうとしたのかもしれない。あるグループは即座に処刑され、別のグループは強制収容所のような孤立した荒涼とした場所に追放された。

反日思想を促す歴史教育は北朝鮮国民の組織に深く刻み込まれている。異国の地の手の届かない「敵」ではなく、「帰国者」の体に報復したと見ることもできる。「帰国者」の健康的に肥えた身体は日本の行為の犯罪性を思い起こさせた。「帰国者」の身体は、国境を越えるたびに、懲罰のスケープゴートとして繰り返し利用された。

「祖国」訪問

史実に基づく神話によれば、18世紀末にロシアの統治者エカチェリーナ二世は、ロシア中を旅して回って、農民がどのような暮らしをしているのかをじきじき視察することにした。エカチェリーナにとって最も重要な大臣にして彼女の愛人でもあったポチョムキンは、彼女が通ることになっていた経路に沿って特別な見せかけの村を建造するように命じた。一つ一つの村は、整然と並べられたきれいなファサードから成っていた。ファサードは道路からかなり離れた位置に置かれていた。エカチェリーナは馬車から離れることがなかったため、農民たちはみな幸福に暮らしていると確信して旅から戻ったという。この並外れた処置は、私が1970年代に育ったソ連での生活のメタファーとみなせる。

レフ・マノヴィッチ◆6

異国の地で暮らすことへの差別が強まるにつれ、「祖国」をめぐる理想的な故郷という報道と教育はますます極端になっていった。日本の左翼活動家だけでなく、マスコミも北朝鮮を「地上の楽園」と報じた。それは躊躇していた在日コリアンの一部を北朝鮮への移住へ後押しする要因の一つにもなった。1970年代後半、日本政府が在日コリアンの北朝鮮訪問を許可した時、多くはこの一報に歓喜した。これらの旅は通常、光と闇が入り交じったものであった。平壌の博物館、劇場、学校、地方の山などの観光地を訪れていく旅である。

帰国した親族を通じて北朝鮮の実情が伝わり始めても、在日コリアンの一部の人々にとって「祖国」の理想像が色あせることはなかった。彼らにとって「祖国」は「善」であり、北朝鮮の主権を脅かす「外国の侵略者」は「悪」であった。在日の人々が「祖国」を訪れると、とても大切な客人として歓待された。同時に、彼らは監視され、その移動経路は厳しく制限された。旅の間中、北朝鮮は「良い社会主義国家を建設するために最善を尽くしているが、外国勢力の妨害と介入によって困難に直面している」という物語が繰り返された。「北朝鮮の人々は懸命に生きており純粋だ」という物語が総聯[7]の人々の精神に浸透していた。旅行を通して見た全景に感動し、愛国心を強めて日本に帰ってくる人も多かった。一方、兄弟や親戚に会った人の中には、実際の北朝鮮での生活を生々しく聞く機会があった人もいた。身近な人の祖父のケースでは、祖国訪問した後、深く失望し尊厳を取り戻すべき救いの兆しを失い、その後、取り返しがつかない思いに落ち込んで黙り込んだように見えた。

ある「帰国者」は、インタビューの際、「北朝鮮の実情を知りたかったら脱北者の話を聞け。祖国訪問団で良いとこばかり見せられて帰ってきて、北朝鮮を知ったつもりになっている。そんな十日ぐらいいたからって何がわかる」と話した。

私自身北朝鮮に修学旅行で行った時、タイムスリップしているような気がした。時代的感覚がどこから来ているのか、不思議だった。だいたい日本より50年くらい前の時代にタイムスリップした気がしたのだが、当時17才だった私が50年前に生きていた訳ではなかったので、テレビの時代ドラマなどを見たからだと思われる。生まれて初めて見る「祖国」に心を動かされていた。しかし、隠され、繕われることがなかった継ぎ目からはみ出て見えた情景が棘のように心に突き刺さり始めていた。平壌の高層ビル群の多くは窓ガラスが割れていたり、建設が中断されているように見えた。その旅行の中で、友人の親戚から村での大量餓死の話を聞いたことは十分な衝撃だった。周りの空気が一変して針だらけのように感じたのを覚えている。その時でさえも餓死は水害や経済制裁から来るものだと思っていた。

それでも、世界のどこでも経験したことのない歓迎される待遇を心地よくも感じており、私に帰属意識を持たせた。政府の行為を正当化し、人々の貧困と闘争を美化する彼らのレトリックは、日本の通学路で嫌がらせを受ける危険を日々経験し、日本を自分たちの国だと感じることのなかった学生たちの心に響いていた。自分自身が日本の重荷、余分なもの、邪魔な要素の一部であることのように認識していた。余計なものという罪悪感を一瞬でも取り除かれることは夢のような体験だった。そして、その感覚は正しかった。それは現実ではなく、学生を政治的に利用するために演出された幻影に過ぎなかったのだ。このことに気づいたのは、この旅行のずっと後のことだった。

記憶の不協和

ユートピア構想は実践に移す段階でディストピアと化した。元「帰国者」の日本人妻の一人にシンプルな質問をぶつけた時のことだ。

S：帰国して後悔していた人がいたんですね。

U：いいい、みんな後悔したの。

S：……。

それまでは「帰国者」のいわゆる「悲惨な話」は、やや例外的なケースだと思っていた。学生の頃には「帰国者」は北朝鮮で幸せな生活を送っていると信じていたし、その記憶は朝鮮学校での繰り返された語りで強化された。すでに多くの「帰国者」の証言を聞いていたとはいえ、心の奥底では、北朝鮮にも良い暮らしをしている「帰国者」がいるのだと信じていた。

北朝鮮に移住した家族を持つ多くの在日コリアン自身、「帰国者」の生活の実態の全体像を知らない。その多くは、「帰国者」や北朝鮮に対する記憶に誤解を抱いている。「帰国者」と北朝鮮に関する問題は、家族でさえも話し合うことに困難をともなう。「帰国者」とその家族のトラウマは絡まりあったまま放置されている。

元「帰国者」の証言を聞いて、在日コリアンの記憶と「帰国者」の記憶との乖離が明らかになった。このことは、私が韓国で生活していた頃の経験を思い起こさせた。韓国人の記憶と在日コリアンの記憶は大部分で一致していなかった。総聯に所属する在日コリアンの多くは、韓国で自分たちが疑いの目で危険視されることを知らない。

脱植民地化の神話や独立神話は在日コリアンの心を魅了にするには十分美しいが、インタビューした人々の中で、北朝鮮の独立を支持する人はいなかった。むしろ、自分の家族が韓国などの「民主主義」国家でより人間らしい生活を送ることを望んでいる。米軍基地が主権国家の土地の一部を占拠していようが重要ではない。

独立運動の英雄的物語は磁力を失った。在日コリアンが直面している苦境は、もはや経済的苦難でも、露骨な人種差別や嘲笑でもなく、日常生活を通じて露呈する耐え難いイデオロギーの分裂と内部分裂である。総聯に関わる多くの在日コリアンは、北朝鮮政府に騙されたと思っている。しかし、この全ては「現地協力者」の存在があったからこそ可能になった。

「帰国者」のインタビューを一周して一段落した後、ある疑問が浮かんだ。自国民政府の下で殺されるのと、グローバル企業という「外国人侵略者」の手にかかり、新植民地的な世界経済の力の下で搾取の対象となるのと、どちらが良いのだろうか。

主権を維持することが重要なのか、という問いは、東アジアの複雑なアポリアへと我々を導く。アウシュビッツ強制収容所を解放するためにロシア軍が到着した時、ナチスの収容所での収容者の扱いの凄まじさに驚愕したと言われている。同じ頃、ソ連では約170万人の死者が出たとされる組織的な強制労働収容所グラーグが運営されるようになった。政治的粛清や強制移住による死者も含めると、犠牲者の数は数百万人を超える。

金日成のような指導者の捏造は、解放後のソ連でスターリンを中心に行われた。この配置にはソ連の意図が隠されているのだが、愛国心という名のカルト指導者への崇拝が、北朝鮮の戦後復興運動へと人々を動員した。独裁政治と儒教の結合は、呪われた組み合わせであった。裏切り者を捏造し、反体制派を根絶やしにする悪循環的な活動が、北朝鮮を「敗血症のようなショック」状態[8]に追いやった。

相互批判と内分裂の中で元「帰国者」の証言は「信憑性」というフィルターにかけられて跳ね返されてしまう。このような状況下では、元「帰国者」の存在と証言は、グローバル市民としての北朝鮮からの正当な情報、情報提供者として容易に傾聴されない。

生存のための沈黙

……国家の市民であることとナショナルな帰属とは不可分であること、ナショナルな起源のみが法律の保護を真に保証されていること、他民族のグループは完全に同化され民族的起源が忘れられるようにならないうちは例外法規によって保護されるしかない。

ハンナ・アーレント◆9

日本が朝鮮半島を植民地化した際、朝鮮人は約36年間、制度上は日本人として扱われていた。朝鮮と日本が一つの国家であったため、日本国籍を保有していたのである。1945年の「解放」後、在日コリアンのあり方は不確かなものとなった。その所在は、1951年のサンフランシスコ講和条約で日本政府によって決定された。在日コリアンはこの日、正式に日本国籍を失った。

創氏改名という、朝鮮人に日本名を名乗ることを強制する命令が出された植民地時代の歴史がある。多くの朝鮮人はこの強制に抵抗し、中には自殺する人もいた。現実には、多くの在日コリアンは日本の通名を使って、自分がコリアンであること、あるいはかつてコリアンであったことを隠す傾向にある。これは日本政府が公式に認めていることで、区役所で通名を登録することができる。日本の通名を使うのは、不必要な苦労を回避するための行為だったのだ。民族的な理由で差別されたくないという想いである。とはいえ、痛みをともなう歴史的記憶を思い、ある種の差別を受けることを承知で日本名を名乗りたくないという在日コリアンも少なくない。

元「帰国者」の場合は違う。元「帰国者」の多くは、自ら進んで日本名を名乗り、多くが日本国籍の取得を希望している。同時に、自らの意思でアイデンティティを隠し、できるだけ日本社会に同化しようとする。生きていくためには、政府の意向に沿うように行動する方が良いということを学んでいるのである。朝鮮人としての尊厳の問題は、まだ北朝鮮に住んでいる家族にお金を送ることに比べれば、それほど重要ではないように見える。

元「帰国者」たちはその姿が「見えない」、そしてその声が「聞こえない」市民になっている。少数民族の問題に対する通常の解決策は帰化と文化的同化のようだが、それは「常識」としての暗黙の了解のもとでの強制的な沈黙を伴うものだ。沈黙は生き残るための重要な要素となった。

元「帰国者」たちの証言を聞いていると、彼らが置かれている苦境、つまり、他者とされ、「公共の敵」とされた人たちの痛みを語ることの難しさに直面する。彼らは北朝鮮で処刑される可能性を経験した。沈黙を守り、服従の態度を取り続ける限り、生きることが許される。沈黙を破ることは、死に直結する可能性があった。尊厳を持って生きることよりも、生き残ることが最優先の課題だった。沈黙を守ることは、生き残るために権力と交わされる契約であった。

しばしば見かけられたように、死刑囚は死後には各種の聖人となったのであって、人々は彼らについての記憶を名誉とし、彼らの墓をあがめた。ある死刑囚たちの場合には、彼らに寄せる栄誉と嫌悪が切り離されないまま、しかもさらに逆転されるような形のままで共存している例も見かけられた。

ミシェル・フーコー◆10

1997年、修学旅行で金日成の遺体に敬礼する儀式に参加するために錦繍山太陽宮殿を訪れていた。この宮殿はもともと1976年に建てられ金日成の公邸として使われていたが、1994年に金日成が亡くなった後、1995年には霊廟として宮殿が改修され、遺体が防腐処理され透明なガラスの石棺の中で展示された。まず、建物の中に入るとその壮観さに圧倒された。この宮殿はそれまでに入ったことのある建物の中でも最大級の大きさだった。立派な大理石がふんだんに使われ、天井も高かった。遺体の安置されてある部屋に入るためには列に並ぶ必要があった。列に並んで部屋に入るとすぐに重厚で荘厳な音楽が流れ、床には赤い絨毯が敷き詰められていた。ガラスの石棺に演出された照明が当てられ、私たちは中央に向かって歩くように指示された。それぞれの方角から遺体に頭を下げた。あたりを見回すと、すすり泣いている人もいるようだった。みな厳粛な表情で敬意を込めて遺体に頭を下げていた。前指導者の遺体との接見であったこの儀式は十分不気味であり、今でもこの時のことを記憶している。北朝鮮はこの宮殿を聖地と定めている。

私たちは何のためにに礼拝し、そのために捧げられた犠牲の血は何だったのだろうか。現在の北朝鮮は時代錯誤的な国家である。体制は全体主義であり、国民を支配するためのモードとしては、もはや時代遅れと見受けられる。現代には人々の欲望、経済格差、常識、コマーシャリズムなどを操り、巧みに人々を支配するより洗練された方法がある。政府の無謀な楽観論は、一般市民の間に蔓延する絶望の上に上塗りされている。指導者は国王でもあり、親愛なる指導者へのカルト的国教でもある。

一方で、日本は一世紀ほど前に天皇を生き神として崇拝していた時期がある。全体主義的な政権が存在したというトラウマ的な記憶は、人々の意識をさらってしまったかのようだが、国家によって太平洋戦争に動員されたことを影に追いやっている現在、北朝鮮の全体主義の剥き出しのありさまはあまりに露骨で、それに対する軽蔑と嫌悪の鋭い刃が人々の精神を刺激する。

元指導者は剥製となり、国家的儀式によってその遺体が神聖化された。◆11 北朝鮮の聖なる亡霊は、今でも国境線の内外を取り囲む何百万人もの人々を苛み続けている。

現在、差異の商品化は消費のパラダイムを促進している。そこでは、他者が生きるいかなる差異も交換によって根絶やしにされる。消費のカニバリズムは、他者をディスプレイするだけでなく、脱文脈化のプロセスを通じて他者の歴史の重要性を否定する。

ベル・フックス[12]

カニバリズム：他者を食べる

アメリカのアーティスト、キャリー・メイ・ウィームスは、「飢餓のある時代を平和の時代とは呼ばない」と述べた。ウィームスの定義によれば、ポストコロニアルの世界秩序において、平和な時代は達成されていない。大量破壊兵器を使用することなしに1990年代から2000年代初頭にかけて、北朝鮮では約300万人が餓死したと推定されている。グローバル化した市民社会での飢餓は、食糧の再分配の失敗、または経済制裁の結果である。人為的な飢饉は、1943年のベンガル飢饉、19世紀の北米におけるバイソンの大量殺戮と白人入植者による強制移住によるアメリカ先住民の飢餓など、歴史的トラウマとして語り継がれている。北朝鮮の飢饉もまた、内部の腐敗と外部からの経済制裁によってもたらされた人為的なものであった。

ある元「帰国者」の証言によると、北朝鮮で大量の餓死者が出た時、人肉食が多発したそうで、その時に起きた様々な事件を生々しく語ってくれた。言うまでもないことだが、それは彼らが本来野蛮であったために行われたのではない。人肉を食らうという習慣があったからでも、儀式的な目的からでもない。生きるために一部の人が食べたのだ。人は基本的欲求が満たされないと、このような状況に陥ってしまう。

記憶に残る限り、初めて飢餓の詳細なイメージを見たのは、大学1年生の時、日本のタブロイド誌の写真報道を通してであった。それは、北朝鮮の干からびた農地の上で人々が点々と写っている写真だった。その頃から、北朝鮮の民間人の生活の実態を少しずつ知るようになった。このような記事やイメージは人道支援への関心を喚起するというよりも、マスメディアを通じて消費されていった。それは批判を呼び起こし、人々を煽り、反感、憎悪、嫌悪感を形成していった。表象の政治と歴史的連続性からのイメージの脱文脈化の相互作用が、メディア報道を通じて繰り返し行われた。マイノリティのイメージを人間以下のもの、野蛮なもの、文明化されていないものとして広く表現することは、戦争、経済制裁、ヘイトクライムを正当化する意識を形成する背景となった。それはしばしば、マジョリティの生活を脅かす敵を作り出し、外国人恐怖症やパラノイアを永続させる。

ベル・フックスは『他者を食べる』において、白人の黒人に対する欲望は、大衆文化における文化的評価からではなく、文化的流用として現れていると述べている。その違いは、前者はエキゾチック化され、快楽への欲求を満たすために利用されたが、黒人の痛みの歴史は消費主義による脱文脈化によって取り残されたことにある。ここで他者である人種は遠ざけられたり嫌悪されたりするものではないが、他者との出会いのナラティブは白人の主観で表象され、白人の主観からのナラティブを語るために黒人とその文化が背景として使われ、白人至上主義を強調したのである。

タブロイド誌や新聞で北朝鮮の民衆の生活の惨状が報道される構造は、フックスの論考『他者を食べる』で説明された構造と同様に、消費されている。報道の意図は、消費されるためのストーリーを売ることであり、北朝鮮の人々や政府との有意義なコミュニケーションを生み出すことではない。それらは、日本という主観を通して常に語られていた。

北朝鮮の非人間化された身体

ある種の自己が保護されるに値するとされ、他の自己がそうでないとされていることに気付けば、自己防衛のための暴力を正当化することから生じる不平等が問題にならないだろうか。どの命が貴重で（失われれば嘆きうるもの）、どの命がそうでないかをグロテスクに区別する人種的スキームを考慮に入れずに、グローバルなスペクトルにおけるあらゆる集団への嘆きうるものの尺度と一致するこの種の不平等を説明することはできない。

ジュディス・バトラー[13]

ある穏やかな夜、一日の社会情勢を知るためにニュース番組を見ていた。その中で、日本政府が自然災害に見舞われた国に対して、物資や資金の支援を行っていることが報道されていた。その報道を見ていた時、ある記憶が思い出された。1990年代後半、北朝鮮で最悪の飢饉が発生した時、世界からの北朝鮮への人道的支援は遅れ、十分ではなかった。日本政府は北朝鮮に人道支援として米を送ったが、世論の反発は大きかった。この頃、政府は米の価格を安定させるため、政府の備蓄米を大量廃棄していた[14]。欧米を覇権とする国際社会は、国民を飢餓から救うためではなく、政権が崩壊するまで拷問するように経済制裁を行った。その結果、何百万人もの市民が餓死した。イラク、アフガニスタン、イエメン、その他多くの第三世界の国々でも、同じような悲劇が、同じような状況下で容認されてきた。主流のメディアの記者たちは、それらの国の人々に寄り添うことはなく、その光景のイメージを報道することもない。隠し撮りにより実態が報道されたとしても、それは暴露本のように政権を告発する批判的姿勢を基盤としている。北朝鮮の人々は、顔のない心ない人々として報道されることが多く、盲目的に北朝鮮政府を崇拝しているか、さらに悪い場合は、人々に関する報道が全く見受けられないことも多々ある。それらの報道は一貫して、現在の悲惨な状況を歴史的連続性から脱文脈化したものであった。

誰の命を救うか、見殺しにするかの政治的判断は、第一世界の国々の判断でなされる。マスメディアが作り出す映像や報道は、誰の命が本当に大切なのかを再考するのではなく、その格差を拡張させている。

なぜ、このような悲劇が世界中で繰り返されるのだろうか。この問いに対する糸口は、北朝鮮や旧イラクのような「専制君主」のいる国の人々が、犯罪者の身体であり、世界秩序を乱す危険因子と見なされていると気づくことにあるだろう。北朝鮮政府が武力で人々を統治し、支配していることは間違いない。彼らは人口の一部を隔離された町や強制収容所に連れ去る残虐行為を行っている。国民の一部が栄養失調で死んでも気にせず、軍事力を誇示するためにミサイル実験も続けている。しかし、そのような体制下でさえも、その土地で暮らす人々には生きる権利があることを認識することができるだろうか。

自然災害が発生した場合、その国の人々に緊急で食料や物資を届けられるのが一般的であるが、それは現在、同盟国や中立国に属する国民にしか適用されていない。制裁を加える政治的戦術は、食糧や物資の不足で苦しむ相手国の人々に拷問を加えることであった。つまり、それはもう一つのテロルであり、政府が権力維持という自らの利益を国民の生命よりも優先させている場合には全く有効ではないばかりか、その体制下で暮らす人々に悲惨な結果をもたらす。経済制裁が第三世界において繰り返し大量の餓死者を生み出している時、さらなる経済制裁を進めることは不適切である。その行為は専制国家の国々に対する権力を誇示するための政治的パフォーマンスであり、そこに住む人々の命は対等な「哀悼に値する」命とは見なされていない。[15]

ジュディス・バトラーは"The Force of Nonviolence: An Ethico-Political Bind"(「非暴力の力：ある倫理―政治的困難」)の中で、地球上のすべての生き物の命が失われた時に平等に嘆き悲しむことへの重要性を記している。[16] マスメディアの偏った報道によって、北朝鮮の人々の悲痛さが繰り返し掻き消され、近隣諸国を含む国際社会の多くの人々が、北朝鮮の人々の喪失と苦痛を哀悼することはなかった。バトラーが述べるように、哀悼されない命の喪失を認め、失われた命を公に哀悼する行為を行うことは、深く絡み合い、血で滲んだ両世界の関係を解きほぐすために極めて重要であると思われる。

公開拷問と集団餓死

……身体刑は法律的―政治的な機能をもつのである。いったんは傷つけられた君主権を再興するための、それは一つの儀式だと言えよう。それは君主権を完全な華々しさの中で顕示しつつ、それを復活させる。どんなに急いで、どんなに日常茶飯事として行われようとも、公開される処刑というものは、蝕まれたのちに回復する権力がいとなむ一連の大がかりな祭式全体のなかに組込まれるのであって、君主を軽んじた犯罪にたいして万人の面前で無敵の力をふるうわけである。……この刑罰の典礼のなかには、権力への、それの本質的な優越性への誇張された肯定が存在する必要があるのだ。……したがって処罰の儀式は完全に《戦慄的》である。

ミシェル・フーコー[17]

マスメディアにおける北朝鮮のイメージは、マスゲーム、軍事パレード、独裁者の姿、そして一般市民の生活を盗撮したものなどである。それらのイメージで人々はまるで、無意識のうちに指導者に従っている思考がない市民のように映る。マスメディアによる北朝鮮の人々の非人間化は、執拗に行われている。このような粗暴さを日々の報道で目の当たりにする経験は、多くの在日コリアンの人生を苦しめている。このマスメディアによる一連の報道は、政府がある政治的決断を下すことを可能にする市民のコンセンサスを作り出す。[18] マスメディアによる北朝鮮の人々を犯罪化する報道は、人々の身体を蝕み続けている。

ボディ・ポリティクスでは、頭は独裁者、身体は人々を含む政治形態／ポリティと隠喩される。「頭」に重大な問題があれば「身体」は犯罪者の身体とみなされ、したがって、一般市民は無意識のうちに処罰されるべき身体、罪深い身体として認識される。ここで個々の身体は、身体の細胞として考えられている。北朝鮮の民間人の身体は犯罪者の身体の細胞であり、首領・政府機関を抹殺するために攻撃されるべき対象となる。経済制裁をすれば、真っ先に飢えるのはその国の一般人であることは、想像力ある人なら予想することができる。国内レベルでは、外国からの侵略から国を救うための犠牲的な死というレトリックのもとに、大量餓死として公開処刑が行われたと見ることができる。このレトリックは、朝鮮戦争中に無差別爆撃によって何百万人もの人々や建物が破壊されたことから、北朝鮮の人々の心の琴線に触れることができた。この民間人の犠牲は北朝鮮軍が韓国へ侵略したことに対する当然の報いとして正当化された。しかし、戦後の現実はもっと複雑であった。朝鮮戦争では、北朝鮮政府を支持しない多くの民間人が虐殺されたのである。

マーシャ・ゲッセンはインタビューの中で、ロシアによるウクライナ侵攻を抑止するためと思われる西側諸国の対ロシア制裁がロシアの政権の侵略を阻止するだろうという見方について、ナイーブだと述べた。経済制裁はロシアの一般市民は貧困や栄養失調に苦しむかもしれないが、プーチンはそんなことは気にしないし、大統領の取り巻きは、大統領の周りにより強く連帯するようになり、全体主義体制は強化されるだろうと述べた。過去に、北朝鮮でも同じような事態が展開され、状態を悪化させた。全体主義体制は強化され、西側勢力の圧力に対する抵抗はさらに厳しくなった。[19] これまで、数々の経済制裁で多くの市民が犠牲になっても、政治権力が維持されることを抑止できなかった。彼らは市民の命を生け贄として差し出した。正当化の物語としては、理想的な独立国家を建設するための犠牲ということになるが、実際には、政権がその地位を維持するために生み出された犠牲であった。

個人への拷問では、拷問する者は痛みによって知りたいことを自白させたり、最終的に被拷問者の政治的な「転向」を達成することを望む。[20] それが事実であろうとなかろうと、人は自分に課された苦痛を止めるために何かを自白するかもしれない。そして、拷問によって被拷問者が死亡する可能性も常にある。国家が拷問の対象であれば望む結果を得るために、何十万、何百万という人の命が、失われるかもしれない。

ある国に経済制裁が加えられた時、最初に被害を受けるのは一般市民である。ある程度の自由があり、民主主義が確立されていれば、国内で政府に対する抗議が起こり、政府の政治的方向性を変えることができる可能性がある。北朝鮮の場合、国民が政府に抗議する自由が文字通り存在しない。情報は厳しく管理され、ほぼ完全に統制されて生活している。拷問は国際法で禁止されているにもかかわらず、このような経済制裁が近代の国際社会で容認されている。国家は自らの権力を守るために、領土内の一般市民の身体を暴力のターゲットに使うことをやめる必要がある。同時に、国際社会も、数々の経済制裁では、多くの市民を犠牲にするだけで、全体主義的政権維持を強化する結果になることを知る必要がある。

前面組織は、党員に対して外部世界の本来の性格を欺くのとまったく同じように効果的に、外部世界に対しては運動の本来の姿を隠蔽する役割を果たす。シンパサイザーの日常生活はまだなお非全体主義的な世界の中で「通常」のルールに従って営まれているから、最初に部外者の目に触れるのは当然のことながらシンパサイザーである。彼らはたいていはまだ狂信者の印象を与えることはないし、いずれにせよ自分たちの意見はその他の諸意見の中の一つだと主張することができる。……シンパサイザーの組織は、運動を通常で尊敬できるものに見せかける煙幕となり、表構え（ファサード）としての二重の役割を果たすことになる。すなわち党員に対しては彼らと非全体主義的な世界全体との間の根底的な断絶を覆い欺くためのファサード、そして非全体主義的な世界に対しては、イデオロギー的虚構の根底的な異質性と攻撃性を隠蔽するためのファサードである。

ハンナ・アーレント◆21

他文化への適応は文化の異なる地域に移住する際に、自然に行われるプロセスだ。旅行者や移住者は新しい文化的環境で必然的にその土地の行動、服装、食事、話し方に適応しようとする。在日コリアンの場合、日本の植民地政策の一環として、暴力により文化的同化を強制された記憶がある。歴史の連続性の中で、文化的同化の強制は「劣等民族」に対する権力、支配力を意味していた。このような状況の中で、在日コリアンは民族文化を維持し、民族学校を通じて言語と文化の継承を試みようとしていた。[22]

しかし、その方向性は1950年代頃から軌道を逸脱するようになる。朝鮮学校は北朝鮮の政権に深入りし、その教育に思想色が濃くなり始める。北朝鮮を「地上の楽園」とするプロパガンダが流布されたのもこの頃である。1950年代半ばになると、総聯の雑誌や新聞に不吉な予兆が示されるようになった。金日成は慈悲深い父として登場し、崇拝されるようになった。その崇拝がさらに深刻化したのは60年代半ばからである。この頃、多くの知識人が組織を離れていった。他方で多くの人が組織に残り、北朝鮮と総聯の熱心な支持者となった。金日成は「祖国」を「救った」カリスマ的指導者とされた。その後、金正日の無能さを嘆く人々は多かったが、多くの人々は金日成の偉大さを信じて疑わなかった。朝鮮民族学校の生徒たちは、金日成と金正日の英雄的エピソードを数多く教えられ、祖国への献身は孝行であり、最大の美徳であると教えられた。

総聯は在日朝鮮人の権利を守る組織だとされている。しかし実際のところ、生徒たちの身体は、日本での北朝鮮に対する想像力を守るための盾として使われていた。特に、民族衣装を学校の制服として着ていた頃の女子学生の身体は、北朝鮮の政治的アジェンダを表意するための抗議行動として利用された。日本の民間人の間に怒りが蓄積されると、女子生徒の身体は暴力の標的となった。

「敵国」の家父長的秩序に対する攻撃性を表出するために、生徒の身体は繰り返し利用された。国家的なナラティブの裂け目の狭間で、北朝鮮の無実を体現するために意図的な犠牲が払われたのだが、そのナラティブ自体が後に虚偽であったことが判明する。動員された抗議の陰で、少なからぬ人が精神障害に陥り家庭は崩壊した。総聯系の在日コリアンが経験した数十年にわたる興隆の後、取り返しのつかない傷跡を残したまま崩れ、放置されることになった。彼らの多くは、この過去から立ち直るために、今もなお個々人で苦闘している。多くの在日コリアンは、私たちの親族がなぜ北朝鮮で亡くなったのか、その経緯の詳細を知らない。語られない物語はエコーのように個々の中で響き続けている。

「洗脳されている」集団という言葉は、最も侮蔑的に使われる言葉である。総聯に関わる一般の人たちは、ハンナ・アーレントが描いた「シンパサイザー」により近似している。朝鮮学校への国からの財政支援が受けられるかどうかという論争があった。日本の活動家の中には、朝鮮学校に財政援助を与えることに反対する人もいる。ある活動家によると、反対の理由は人種差別ではなく、学校のカリキュラムが生徒を北朝鮮のイデオロギーに洗脳しているからだという。生徒を守るために、政府は経済援助を行うべきではないという主張のようだった。さらに、日朝間の政治的対立が激化した時、生徒たちが金正恩の戦闘部隊として日本に対して行動を起こす危険因子となることを恐れているという。朝鮮学校を反対するあるウェブサイトでは、朝鮮学校で選抜された生徒の一部が北朝鮮に招待され、「親愛なる指導者」の前で公演した平壌での新年コンサートの映像が公開されている。その中で、彼らは指導者、党、政府を賛美し、思想的な音楽と踊りを披露している。その映像を見て、この通り生徒たちはすっかり洗脳された生徒たちであるという内容のコメントが添えられていた。学生たちは先生から与えられた台本通りに「演技」をしているのであって、日本政府に対して政権のために戦う意志やそのような発想さえもないように思われる。日本の安全保障のリスクファクターになると考えるのは誤解がある。中央組織による特別教育で選ばれた少数の生徒たちは、北朝鮮政府のための任務を遂行することが稀にあるかもしれないが、私は選ばれなかったので詳しくは知らない。かつて総聯のメンバーの一部は、スパイや日本人民間人拉致に協力するなど、北朝鮮政府の秘密工作を行う部隊として利用されたことがあるという。しかし、これらの作戦は極秘裏に行われたものであり、全学生から見ればごく僅かな学生たちである。ほとんどの学生は、これらの秘密工作が行われたかどうか知らない。このような中、その学生たちすべてを危険因子として扱うことには、無理がある。

「約束の地」の裏切り

いたるところから私に襲いかかり、私にのしかかってくる、無数の本の頁という頁が。だが、ただの一行で十分であろう。ただ一つの答えを出すだけで、黒人問題はそのしかつめらしい衣裳を脱ぎ捨てるのだ。

人間は何を欲するか？

黒い人間は何を欲するか？

たとえ黒い皮膚の兄弟たちの怨みを買うとしても、私は言おう、黒人は人間ではない、と。

非存在の地帯(ゾーン)いうものが存在する、驚くべきほど不毛で乾ききった地域、極度にむき出しにされた丘の斜面、原本的なほとばしりはここに源を発するかもしれない。多くの場合、黒人は、真の〈地獄〉へのあの降下を実現する特権を有していないのだ。

人間とはただ単に、奪還、否定の可能性だけではない。意識は超越の活動〔否定性〕そのものであるということが真であるとしても、われわれはまたこの超越が愛と理解との問題によって付きまとわれていることを知るべきだ。

フランツ・ファノン[23]

「帰国者」たちは、スケープゴートのように北朝鮮に送り出された。予期せずに、彼らのうちごく僅かの人が生き延びて「約束されていない地」である日本に戻ってきた。彼らは「罪」を清めずに戻ってきてしまったため、不吉な存在として避けられる。差別を受けるが日本の生活環境がより良いことを身をもって経験して戻ってきた「帰国者」の意思とは裏腹に、北朝鮮で生活したというスティグマは簡単に拭い去ることができない。むしろ、北朝鮮に住んでいた記録が彼らの存在にスティグマを残す。自力で日本に来れば保護されるというのが日本政府の受け入れの条件である。北朝鮮の国民という罪深い身体、犯罪国の身体という概念は脱北した元「帰国者」の身体にも及んでいる。敵国とされる二つの国の間で国境を越えるたびに、移民の身体へのスティグマは深まっていく。「帰国者」の場合、どの政府も彼らの権利と命を主張しなかった。「帰国」後、彼らの命は北朝鮮政府の意のままになった。北朝鮮が彼らを殺そうとする時、誰もそれを止めず、その権利を主張することはなかった。実際、北朝鮮政府は「帰国者」を自国民ではなく、むしろ、改正させるか排除すべき異物、体制を不安定にする危険因子として認識していた。

1950年代から70年代にかけて「約束の地」というナラティブが多く聞かれるようになった。人々を魅了した思想は、新しい統治形態下でのユートピア国家の建設であった。その理想主義的な生き方は在日コリアンの想像力を刺激した。北朝鮮は多くの在日コリアンの心の中にある「空想上の故国」[24]だった。北朝鮮、総聯、日本、ソ連と連携して普及されたナラティブの結果、作りあげられた架空の場所である。

日本が朝鮮半島に上陸した際、欧米による宣教活動が広く組織されていた。特に東洋のエルサレムと呼ばれた平壌などでは、キリスト教が盛んに宣教された。日本帝国の計画の一つは、朝鮮人を国家神道に改宗させることであった。1945年の解放直後、ソ連のスターリンは朝鮮半島北部のキリスト教徒を抑圧し、社会主義、共産主義思想を流布し統治していった。金日成はソ連から朝鮮に配置され、カリスマ的な救世主の役を演じるようになった。アメリカ軍は南半分の朝鮮を再掌握すると共にキリスト教を布教した。西洋の植民地政策では、往々にして伝道活動をあらかじめ行い、国を完全に破壊した後、その荒廃の瓦礫の中から人々を救い救世主の役を演じた。朝鮮戦争では無差別爆撃で北朝鮮の国土の地域によって5～100%が破壊され、人口の20%が殺害された[25]と言われている。この朝鮮戦争時の北朝鮮での無差別爆撃と民間人虐殺は、全体主義体制を強固なものにする引き金となる。市民を装った隠れた敵という思想は、民間人虐殺を正当化するためにしばしば利用された。壊滅状態の下で「救いは神から来る」というもっともらしいストーリーが人々の精神に浸透していった。アメリカがもたらした物質的な豊かさは文字通り国民を養った。しかし、それは脱植民地化の過程を助けるという名目で、冷戦時代の領土拡張を達成するためのもう一つの戦争だった。一方で、北朝鮮では金日成が救世主の役を演じた。指導者へ孝行と祖国愛、そして愛国心が交錯する惨憺たる状況だった。「父」は実際には独裁者であり、その後、破滅的な結末を招き続けた。

脱植民地化の約束は破られたのではなく、もともと空の約束であった。ユートピアとしての「約束の地」はディストピアと化した。反帝国主義や独立闘争も、自国の政府が市民を飢えさせるようでは、もはや本質をともなわない。政府は自らの権力を維持することを優先させた。「外国の侵略者」としての敵は、だいぶ前から効力を失っていた。人々はただ生き残り、より人間らしい生活を送りたいと望むようになっていた。

ジョーンズタウン事件と帰国事業の類似性

着いたとたん帰りたくなった。そこはまるで軍事キャンプのようだった。

私はとても弱かった。ジョーンズタウンに行き、良い社会主義者になるよう導かれるだろうと決めた。自分に欠けているものを、ジョーンズタウンで暮らすことによって、すべて植え付けてもらおうと思った。

ジョーンズタウン生存者の証言より◆26

ジョーンズタウンの境界線は武装勢力に守られており、脱出しようとすると厳しい処罰を受けるため、ジョーンズタウンから出ることはできなかった。コミュニティはジャングルの奥深くにあり簡単には逃げられない場所に位置していた。

60年代から70年代にかけて、世界各地で社会主義的なユートピア・プロジェクトが散発的に登場した。時代の流れと共に「地上の楽園」というプロジェクトは、次第に「地上の地獄」のような悪夢のプロジェクトに変わっていった。1970年代に起こったジム・ジョーンズによる「ジョーンズタウン事件」は、帰国事業と類似点が多い。多くの人々が「約束の地」に移住し、その多くが収容された地において命を落とした。指導者によって行われたメンバーに対するジェノサイドであった。

時が経つにつれ人々への洗脳教育ががんじがらめになった北朝鮮では、指導者が国家主席というよりもカルト的な教祖となっていった。ジョーンズタウンの生存者の証言は、元「帰国者」の証言と類似している部分が多い。ジョーンズタウンから脱出しようとする人は"defector"[27]と呼ばれた。

彼らは、自給自足の自律型コミュニティを共に築き、そこで暮らそうというユートピア的な構想を持っていた。しかし、一度逸脱した軌道を修正することはできず、大量殺人の道が選ばれた。ジム・ジョーンズは、収容者たちの言葉を世間に漏らさないために900人以上の信者を殺害した。彼らの死によって沈黙はほぼ完全に守られた。生き残ったのはほんの一握りで情報量は極限まで減らされた。リーダーは死を強要し、死は崇拝された。ジョンズ・タウンのメンバーは孤立した生活を送り、情報はフィルターにかけられ制限されていた。「結果は手段を正当化する」という格言が暴力的な操作を正当化した。そして、その「結果」は実現されることがなかった。

この孤立したコミュニティに人々を移住させたのは、暴力、人種差別、帝国主義による戦争など、アメリカの社会的矛盾であった。その中でも、人種差別とベトナム戦争はジョーンズタウンに移住するための主な要因となった。ジム・ジョーンズは黒人と韓国人の子供を養子にして、自分の家族の一員にした。子供の一人であるジム・ジョーンズ・ジュニアは家族の中で人種差別を経験したことはなかったと証言している。ジョーンズタウンの多くの信者は、平等で公正な社会を作りたいと願っていた。信者を集めるために社会主義的な理想が掲げられた。帰国事業でも同様の方法で北朝鮮への移住が説かれていった。ジョーンズタウンの虐殺は、事件後すぐにその全貌が明らかになり、犠牲者が公に追悼された。一方で、帰国事業の犠牲者は、現在に至るまで全貌が明らかにされておらず、未だ十分な哀悼が行われていない。

北朝鮮が核兵器保有を認め政府による日本人拉致事件をきっかけに支持者が激減したとはいえ、総聯系の在日の中には今でも北朝鮮政府を支持している人たちがいる。現在も総聯組織を支持する人々を観察していると、いくつかの共通点がある。大義のため、国家のために働くことに誇りを持ち、愛国心と献身的な精神を持っている。様々な資料を読んで徹底的に研究するよりも、北朝鮮が提示した神話を信じることを好み、いろいろな矛盾があっても、結局は北朝鮮が善い行いをしていると思っている。日本で尊厳を持って暮らしたいという想いが、今も総聯のコミュニティを支えているが、その代償は実は非常に大きい。総聯の人々が本当に同胞(トンポ)のために働くのであれば、元「帰国者」の存在を認め、彼らの話を聞き、受け入れ、日本での生活を支援する必要がある。それに対して、彼らは元「帰国者」を裏切り者、あるいは総聯の存在を危うくしようとする犯罪者扱いして批判する。ユートピア的社会主義国家建設の神話に陶酔するよりも、現実に向き合うことの方が難しい。組織内で「外国の抑圧者」と戦う「団結」を求めるために、個人の声は抑圧される。実際に、本部の決定に反対する個人への抑圧が、特に組織内の家父長制規範に反対する女性に対して、公然と行われてきた。

脱植民地化の残骸の時代におけるアート

彼は話し始めると、その情熱はゆっくりと聴衆を巻き込み、ほとんど耐えられないほどの緊張感を与えた。キング牧師はドラマチックな演説で、私たちを19世紀に引き戻し、奴隷貿易廃止からわずか数年後に黒人として生まれながら、その絶妙な知性と勇気によって、1895年にハーバード大学でアフリカ系アメリカ人初の博士号を取得した青年の心の中に誘い込んだ。
キング牧師はコンテンポラリーについて、あるいはその関連に関して話しているようであり、W・E・B・デュボイスのことをとてもよく知っているように話した。キング牧師は、私たちがいかに互いに関わり合っており、同じ悪魔と同じ神を共有しているかを話した。そして、キング牧師はデュボイスが肌の色や地位、年齢に関係なく、私たち全員を公平で働きやすい未来という夢の中に取り込んだと語り、その絆を確かなものにした。

マヤ・アンジェロウ[28]

「ポストコロニアルはユートピアの残骸か?[29]」。オクウィ・エンヴェゾーは彼の論考『ユートピアの残骸――ジョン・アコンフラのポストコロニアル映画における疎外と離反』の中でこう問いかけている。北朝鮮はかつて社会主義のユートピアになることを夢見ていたが、それが実際の目標だったのか表面的な理想だったのかは不明である。しかし、「史上初の共産主義国家を実現するため」に「大きな犠牲」を生んだ結果が大惨事であったことは、今となっては明らかである。1945年以降、かつて植民地化された世界の多くの国々の脱植民地化の過程は、内戦を伴い、後に冷戦下の領土拡張闘争に巻き込まれて更に泥沼と化した。朝鮮半島では日本の占領からの解放を祝ったのも束の間、さらに過酷な試練が待っており、冷戦の最前線として地上戦が繰り広げられ、より壊滅的な一連の戦争が勃発した。脱植民地化の壊れた夢は「失敗したユートピアの試み」[30]であり、粉々になったユートピアの夢は、悪夢のプロジェクトと化し多数の犠牲者を生み出した。同時に、旧植民地諸国である第一世界の市民に継承された特権は否定され、旧帝国と旧植民地の二つの世界の間により深い裂け目を形成している。

ポストコロニアル理論の研究者によって書かれたテキストの大半は、西洋の政治的・文化的ヘゲモニーと支配からの脱植民地化を前提にしている。東アジアにおける複雑さのアポリアは、西洋からの脱植民地化と日本からの脱植民地化という二重の脱植民地化プロセスにある。中国の経済成長により、日本はもはや東アジアで最も強力な影響力を持っていないが、帝国主義、植民地主義によってもたらされた惨状を認めることに対する日本の消極性は、近隣の東アジア旧植民地諸国を満足させたことはない。靖国神社は今でも支配力の強い与党の有力な政治家によって参拝されている。戦争で犠牲になった兵士たちが英雄としてだけでなく神として崇拝されるようになると、人為的な霊神の影はさらなる災厄を生み出すのに十分で不吉な悪霊を浮き彫りにする。それはアジアを西洋の支配から守るためという名目で日本の軍事力をアジア諸国に及ぼしたジハード／聖戦としての太平洋戦争の思想に通じている。日本は「極東」という周縁に位置しており、アジアの一員でありながら、20世紀前半に他のアジア諸国を植民地化し占領する帝国の役割を果たした特異な立ち位置から、現在でもその過去が深く絡まり合っている。

日本の植民地支配の記憶は、学校の子供たちの歴史の教科書から省略されており、アジア諸国に対する優越感は、隷属化や略奪を伴う植民地支配の歴史を最小化する教育を通じて継承された人種差別的イデオロギーに基づいている。同時に、戦後の経済的奇跡によって、原爆による戦争破壊の灰塵からの再生した強靭さを美化し、国民が献身的な愛国者から戦争に駆り出された犠牲者に一転した。このような状況下で、被害者は他の被害者に対して責任を取ることはない。

植民地時代の日本が行った隷属化の歴史は比較的短いが、一つの植民地支配が間接的に朝鮮戦争を引き起こしたように、被植民地の人々の精神に与えたダメージは大きい。米軍とソ連軍による冷戦の地上戦の戦場として土地と人が粉砕された。歴史の研究では、金日成がソ連によって作られた偽りの将軍であったという事実が明らかになっているが、金日成が一人で朝鮮戦争を引き起こしたような批判的な見方が止まない。日本による植民地支配の後、朝鮮におけるソ連とアメリカの慈悲深い援助国は、朝鮮人民の命を使用して領土拡張戦争を繰り広げたもう一つの占領軍であった。[31] 3年間の無益な殺し合いの後、金日成はカルト的な政治指導者として権力を維持し、北朝鮮の土地に再び不吉な足跡を残した。アジア民族に対する劣等感が欧米から押しつけられ、独立運動や反帝国主義運動で誇れるものがない時、意識、誇り、平等な秩序、正義感などすべてを授けてくれる偉大な存在、英雄を捏造しようとする動きがあった。そしてそれは、市民に対する大きな裏切りとなる。

脱植民地の過程において、致命的な失敗の原因となったことは、旧植民地国がこれまでの「悪」をすべて入植国とその人々に押しつけ、自らを「善」と定義づけたことにあった。マヤ・アンジェロウがキング牧師の演説を聞いて記したように、私たちは、旧植民地諸国出身であっても、旧入植国出身であっても、「互いに関わり合っており、同じ悪魔と同じ神性を共有している。」少数民族だからといって、旧植民国であっても、それは善を体現しているのではなく、また、悪を体現しているのでもない。共産主義が提言するように、すべての人々が平等であるとしたら、それは権力や名声、富や財産、才能や能力の側面での平等ではなく、私たちは皆、貪欲、嫉妬、欺瞞、残酷さ、騙されやすさ、自己中心さ、奢り、後悔、嫌悪、怒り、憎しみ、冷酷さなど、人間の性質にある低い傾向に陥りやすいあやうさと共に生きているということだ。人の心の闇は深く、理想主義に基づいたユートピア的なプロジェクトは、そのような人の心の闇、そして人間の弱さを前提に計画されていれば、ディストピアと化すことはなかっただろう。このような落とし穴に足を掬われることは致命的でありながら、これまでに続出し続けた。

例えば、移民が破壊をもたらすもの、純粋な破壊の脈管、人種や国家のアイデンティティを不純物で汚染するものとみなされるとき、彼らを止め無期限に拘留し、海に押し戻し、船が壊れて死が迫っているのに彼らのSOSを無視する行為は、すべて人種的特権によって黙示的または明示的に定義された現地性の共同体の「自己防衛」として怒りと執念をもって正当化される。このような道徳的に認められた破壊の形態において、破壊は有毒で膨張した自己防衛の概念から生じており、その「自己防衛」と名づけ直す実践は自らの暴力を正当化している。そしてその暴力は、人種差別的な道徳化、すなわち人種と人種差別と同じように擁護するよう作用するものによって、移転され、覆い隠され、認可される。

ジュディス・バトラー[32]

今日の国際市民社会におけるポストコロニアルの状況下で、第一世界のコミュニティに対する脅威は、かつて植民地化された国々に課された植民地的暴力と破壊の残余である可能性が高い。インドのような一部のケースを除いて、反植民地抵抗運動が暴力を必要としたのは、植民地支配がそもそも暴力を用いて天然資源や人的資源を利用し操作したからである。一旦、暴力が一つの共同体に課されると、その暴力は一定期間にわたって循環し再循環する。残念ながら、循環する暴力は熱狂のあまり対象のポイントを見失い、自己嫌悪に陥り、内戦、国内での虐殺、家庭内暴力、自殺として内側へと暴力を向け合うことになった。

植民地時代の暴力の力とその残存の余波は、植民地化した国々のほとんどがあらゆるレトリックを用いて平等主義を掲げ平和主義者の役割を演じているため、しばしば退けられ無視された。植民地支配を行った国々はその国を去ったが、植民地支配による暴力的破壊の反動は、その地域の人々を傷つけ続けてきた。

このような旧帝国の姿勢から、賠償のための国際的な取り組みを真剣に議論されることは、ほとんどなかった。先進国の多くの市民は、自国の政府、政党、敵対国、移民、雇用主など、複数の要素によって自分自身が被害者であると感じることが多いため、市民社会から説得力のある提案がなされることがほとんどないのである。第一世界の人々が感じている無力感は、パラノイアばかりではない。実際、多くの人々は、経済的な困窮と不確かさのストレスの中で生きている。しかし、人々が自分の無力さを受け入れ自分を被害者としか認識しない時、「自己防衛」としてあらゆる種類の暴力的で攻撃的な行動をとることが正当化される。潜在的な「脅威」は攻撃され、虐待され、死に至るまで放置されうる。

それは単なる人種差別ではなく、「生来劣等」で外部からの支援なしでは自国を管理できない国を「前進」

させ「支援」するものとして植民地時代の過去を正当化するための組織的な取り組みの一環だ。ヨーロッパ諸国による他国への植民地破壊と略奪がなければ、ヨーロッパに移民が押し寄せることはない。この歴史的連続性を再考すると、ヨーロッパの一部の市民が海上の移民のSOSサインを無視し、「自己防衛」のために見殺しにすることを主張する「脅威」は、数世紀前に押し付けられた植民地の残滓と暴力から部分的に循環したフィードバックであるという構造が見える。この点で、移民が先進国にもたらす「やっかいなもの」は、かつて植民地化された地域と人々に課された暴力の再循環であると確認できる。[33]

この歴史的連続性を認識することは、ポストコロニアル諸国が直面している現在の苦境を問い直すことに繋がる。植民地時代の破壊から立ち直るために、国際機関から借金をさせられ、その借金を返済している現状がある。今日の深刻な問題は、どの先進国も自分たちが行った植民地破壊の賠償を払おうとはせず、指導的立場に立とうとしている姿勢にある。植民地支配の背後にあった善意を主張すると同時に、植民地化された国々を歴史の連続性から切り離し、内戦、貧困、飢餓、専制政治のイメージだけで彼らの苦しみを脱文脈化することによって犯罪国とすることは、過去、現在、未来の間の重要なリンクを見逃してしまうことになりかねない。

暴力は植民地化した国々を困窮させた重大な要素であるため、人々は貧困、栄養失調、無秩序、暴力に永続的に悩まされる土地から、より安全で安定した生活ができる組織化された「文明」社会へと流出する。半世紀前とは異なり、移民の多くは愛国心やナショナリズムに駆られて出てきたわけではない。占領軍の基地からの「独立」は、彼ら多くの一般市民にとって、より人道的な生活を実際に送ることより緊急ではない。移民たちは自分たちの生命と人権が深刻な危機にさらされている「沈みゆく船」から生き残るために離れようとしているのだ。

植民地化後の国、多くの先進国が住民に「より質の良い生活」を提供していることは事実である。人々はより良い社会システムの下で、経済的な機会、社会的な利益を得ることができる。理想主義者はしばしばこの現実を否定し、頑なに国家主権と独立に固執し、弱小専制君主政府が用いているあらゆる手段を正当化する。彼らが使うレトリックの裏側で、政府が最も関心を寄せているのは権力の座を維持することである。

さらに、植民地化した国々、多くの先進国が現在、国内の領域で「より良い生活」を提供し、人権を尊重しているからといって、過去に植民地化された国々に課された暴力を否定することはできない。植民地政府が去った後も、その土地の人々は植民地支配の記憶を持ち続け、暴力の残滓に苦しみ続けてきた。例えば、アフリカに加えられた暴力は、単なる「一過性の攻撃」と考えるべきではない。半世紀を経てもなお、人々は暴力の影響から完全に回復することができない、全滅をもたらすのに近い容赦ない暴力であった。[34]

戦後の日本の心理的労作は、恥を洗い流すための努力として見ることができる。全体主義国家としての過去を消し去りたい人々にとって、北朝鮮という国家は、耐えがたく過去を想起させるリマインダーである。

一方、一般市民は、戦争は日本軍が民間人の意思に反して行った戦争暴力の被害者としてのナラティブが強調され繰り返される。シベリアやミャンマーで捕虜となった人々のオーラル・ヒストリーは、歴史の中で強調され、押し殺された者の声はほとんど届かない。

恩恵と呪い

ポストコロニアル調査では、植民地時代の近代化が総体的な搾取を目的としていた一方で、近代性は西洋と植民地化された対象との間で共同生産されたことが確認されている。私たちが共有する近代は歴史の傷を負っている。ポストコロニアルに生きる多くの人々と同様、私はむしろこの傷ついた体をうまく育んで生き延びてほしいと願っている。

ギータ・カプール[35]

元「帰国者」の証言の内容は、出版社やアクティビストの意向でフィルターがかけられてきた。出版社の要望に応えるために、元「帰国者」が本当に伝えたいことを調整する必要があることもあった。もちろん、本の売り上げを伸ばすための内容が強調されていたのは言うまでもない。マスメディアが報道したい話、大衆が聞きたい話は世間に出回るが、元「帰国者」が伝えたかった話の一部は公開されないまま放置された。このような過程を経て、不完全な話だけが一般の人たちへ届けられることになる。

インタビューの前、私はどちらかというと、北朝鮮の政治に擁護的な姿勢に傾いていた。しかし、インタビューの後、その認識は変わり、北朝鮮の一般市民の生活状況が本当にひどいものであることを現実として受け止めるようになった。彼らのように、もし、家族や友人が北朝鮮にいるならば、韓国のような民主的な政府に変わってほしいと願うだろう。総聯に関わる多くの在日コリアンにとって、このような現実は受け入れがたいことだが、北朝鮮の人々が政府からの厳しい制約を受けずに人間らしい生活を送ることができるようサポートするためには、直視する必要がある。外の社会でも完全な自由は実現されていないが、人々に許容されている柔軟性がある程度ある。たとえ「祖国」の理想像がどんなに美しくても、正しく見えても、その蜃気楼を維持するために払われた代償はあまりにも高く重大なものだった。在日社会の中でさえも、まともな哀悼もなく、あまりにも多くの命が失われてきた。

ギリシャ神話『オデュッセイア』で、オデュッセウスの旅は帰郷でクライマックスを迎える。異国の地での使命は緊要であったが、彼は最終的に故国に戻ってくる。故国では多くの矛盾や争いがある一方で、そこは彼が生まれ、親しい家族や友人と共に生活するコミュニティである。オデュッセウスの旅、そして多くの元「帰国者」の旅は、この20年間ほどの私自身の海外での生活や旅と重なり合った。韓国に滞在していた頃、自国の「帰国者」として受け入れられることを期待していた。欧米に住んでより権威ある知識と力を身につけることよりも、「自分の国」を知りたい、学びたい、暮らしたいという想いが強かった。その期待とは裏腹に、韓国における総聯で育った在日朝鮮人に対する偏見は、私が日本で経験した差別よりはるかに厳しかった。さらに、反日感情や日本に対する怒りは、思いのほか私に向けられていた。タクシー運転手など一般の人から、日本の植民地時代を知っているかと叱責の念をこめて質問されることもしばしばあった。

韓国における日本植民地支配に対する鬱積した想念は、アメリカの占領下とは異なり、反感、怒り、恥、侮蔑といった複雑な感情で人々の精神に深く根ざしている。韓国では朝鮮戦争で多くの犠牲が出たが、同じような反感はアメリカには向けられていない。アメリカ占領後、熱烈なクリスチャンになった人も多い。同時に、経済的な富への崇拝も時間の経過とともに助長されていった。暴力の被害者がそもそも恐ろしい結果を避けることができなかったことに対し、しばしば自分自身を非難し自己嫌悪するように、反日感情は韓国の人々の感情に根を下ろしている。同じアジア人という人種から与えられる屈辱は、アメリカやソビエトのように広く認められている異民族から与えられる暴力よりも侮辱的であったようだ。

人間の低い性質を軽んじて考えると、悲惨な結果を生むことになる。富、権力、名声、所有、支配、隷属化、蔑視、嘲り、暴力などに対する人への誘惑は、私たちを時に悪霊のように行動させる。そしてその悪霊は、往々にして神聖の姿を模倣して私たちを陶酔させる。人々はまだ半ばその陶酔状態にあり、その影響は私たちの人生を少なからず左右している。地球上の誰一人として、この人間の弱さの誘惑から除外すべきではない。人間の弱さを甘くみると、取り返しのつかないことになる。むしろ、人間の弱さに向き合い、あらかじめ考慮に入れて行動することが肝要である。そういう面で、ある種の思慮分別は尊重して残しておかなければならない。そして、その人にふさわしくない恩恵は決してその人に与えてはいけない。拙速に、そして過分に恩恵を与えることは、往々にして与える者と受け取る者の両者を取り返しがつかないくらい損傷した状態に導くことになる。

そこでは、恩恵が呪いと化す。

1——エドワード・W・サイード著、大橋洋一訳『文化と帝国主義』みすず書房、85—86頁。
Edward Said, *Culture and Imperialism* (Vintage Books), p.36.
原文は以下。Few full-scale critical studies have focused on the relationship between modern Western imperialism and its culture, the occlusion of that deeply symbiotic relationship being a result of the relationship itself. More particularly, the extraordinary formal and ideological dependence of the great French andEnglish realistic novels on the facts of empire has also never been

studied from a general theoretical standpoint. These elisions and denials are all reproduced, I believe, in the strident journalistic debates about decolonization, in which imperialism is repeatedly on record as saying, in effect, You are what you are because of us; when we left, you reverted to your deplorable state; know that or you will know nothing, for certainly there is little to be known about imperialism that might help either you or us in the present.

2——ハンナ・アーレント著、大島通義・大島かおり訳、新版『全体主義の起源 2 帝国主義』みすず書房、３０２頁。

Hannah Arendt, *The Origins Of Totalitarianism* (Harvest Book).

3——参照：テッサ・モーリス・スズキ『北朝鮮へのエクソダス—「帰国事業」の影をたどる』朝日新聞社。

4——フランツ・ファノン著、鈴木道彦・浦野衣子訳『地に呪われたる者』みすず書房、40頁。

Frantz Fanon, *The Wretched of the Earth* (Grove Press), p.5.

原文は以下。The gaze that the colonized subject casts at the colonist's sector is a look of lust, a look of envy. Dreams of possession. Every type of possession: of sitting at the colonist's table and sleeping in his bed, preferably with his wife. The colonized man is an envious man.

5——一斉粛清を意味している。直訳は、「闇雲に、あたりかまわず捕まえていく」という意味。

6——レフ・マノヴィッチ著、堀潤之訳『ニューメディアの言語』みすず書房、２１７頁。

Lev Manovich, *The Language of New Media* (MIT Press), p.145.

原文は以下。According to the historical myth, at the end of the eighteenth century, Russian ruler Catherine the Great decided to travel around Russia in order to observe first-hand how the peasants lived. The first minister and Catherine's lover, Potemkin, had ordered the construction of special fake villages along her projected route. Each village consisted of a row of pretty facades. The facades faced the road; at the same time, to conceal their artifice, they were positioned at a considerable distance. Since Catherine the Great never left her carriage, she returned from her journey convinced that all peasants lived in happiness and prosperity.

7——北朝鮮と連携している日本にある組織。

8——Okwui Enwezor, “The Wreck of Utopia: Alienation and Disalienation in John Akofrah's Postcolonial Cinema,” in *John Akomfrah: Signs of Empire* (New Museum, 2018) , p.85.

9——ハンナ・アーレント、前掲書、282頁

Hannah Arendt, op. cit.

原文は以下。The Minority Treaties said in plain language what until then had been only implied in the working system of nation-states, namely, that only nationals could be citizens, only people of the same national origin could enjoy the full protection of legal institutions, that persons of different nationality needed some law of exception until or unless they were completely assimilated and divorced from their origin.

10——ミシェル・フーコー著、田村俶訳『監獄の誕生—監視と処罰—』新潮社、69頁。

Michel Foucault, Discipline and Punish: The Birth of the Prison, Translated from the French by Alan Sheridan (Vintage books, 1975), p.67.

11——Samuel S Kim によると、この宮殿を保存するために9億ドルもの資金が投入されたとのことである。

12——bell hooks, “Eating the Other: Desire and Resistance,” in *Black Looks: Race and Representation* (South End Press, 1992).

原文は以下。Currently, the commodification of difference promotes paradigms of consumption wherein whatever difference the Other inhabits is eradicated, via exchange, by a consumer cannibalism that not only displaces the Other but denies the significance of that Other's history through a process of decontextualization.

13——Judith Butler, *The Force of Nonviolence: An Ethico-Political Bind* (Verso, 2020).

原文は以下（序文より）。Once we see that certain selves are considered worth defending while others are not, is there not a problem of inequality that follows from the justification of violence in the service of self-defense? One cannot explain this form of inequality, which accords measures of grievability to groups across the global spectrum, without taking account of the racial schemes that make such grotesque distinctions between which lives are valuable (and potentially grievable, if lost) and those which are not.

14——日本における稲作とナショナリズムの関係性について文化的政治研究を行っている山内明美（宮城教育大学）からの聞き取りによる。

15——参照：ジュディス・バトラー著、本橋哲也訳『生のあやうさ—哀悼と暴力の政治学』以文社。

16——Judith Butler, The Force of Nonviolence: An Ethico-Political Bind (Verso,2020).

17——ミシェル・フーコー、前掲書、52頁。

Michel Foucault, op. cit., pp.48-49.

原文は以下。The public execution, then, has a juridic-political function. It is a ceremonial by which a momentarily injured sovereignty is reconstituted. It restores that sovereignty by manifesting it at its most spectacular. The public execution, however hasty and everyday, belongs to a whole series of great rituals in which power is eclipsed and restored. … In this liturgy of punishment, there must be an emphatic affirmation of power and of its intrinsic superiority. And this superiority is not simply that of right, but that of the physical strength of the sovereign beating down upon the body of his adversary and mastering it: by breaking the law, the offender has touched the very person of the prince; and it is the prince- or at least those to whom he has delegated his force - who seizes upon the body of the condemned man and displays it marked, beaten, broken. The ceremony of punishment, then, is an exercise of 'terror.'

18——Edward S. Herman, Noam Chomsky, *Manufacturing Consent: The Political Economy of the Mass Media* (Pantheon, 2011) .

19——Interview with Masha Gessen: The West Is "Insane" for Thinking Sanctions Will Deter Putin, 2022 Amanpour and Company

20——参照：Michel Foucault, *Discipline and Punish: The Birth of the Prison*, Translated from the French by Alan Sheridan (Vintage books,

1977).

21——ハンナ・アーレント、前掲書、110頁。

Hannah Arendt, , op. cit.

原文は以下。The world at large, on the other side, usually gets its first glimpse of a totalitarian movement through its front organizations. The sympathizers, who are to all appearances still innocuous fellow-citizens in a nontotalitarian society, can hardly be called single-minded fanatics; through them, the movements make their fantastic lies more generally acceptable, can spread their propaganda in milder, more respectable forms, until the whole atmosphere is poisoned with totalitarian elements which are hardly recognizable as such but appear to be normal political reactions or opinions. The fellow-traveler organizations surround the totalitarian movements with a mist of normality and respectability that fools the membership about the true character of the outside world as much as it does the outside world about the true character of the movement.

22——同右、283頁。

原文は以下。「少数民族は厳密には無国籍ではなかった。彼らは法的には少なくとも一つの国家組織に属していた。ただ普通ならば市民権を持つことで保証されるある種の権利はすべて文化的な性質のもので、自民族の言語を使用する権利、独自の学校やその他の社会的、宗教的、文化的精度を持つ権利などだった。居住や労働の権利のような本来の基本権は少数民族条約では考慮されていないが、その理由は、これらの権利までも異民族グループに拒まれることがあり得ようとはだれも予想しなかったからである」。

23——フランツ・ファノン著、海老坂武・加藤晴久訳『黒い皮膚・白い仮面』みすず書房、19頁。

Frantz Fanon, *Black Skin, White Masks* (Grove Press), p.12.

24——Salman Rushdie, *Imaginary Homelands.*

25——https://www.washingtonpost.com/opinions/the-us-war-crime-north-korea-wont-forget/2015/03/20/fb525694-ce80-11e4-8c54-

ffb5ba6f2f69_story.html.

26——The testimony by the survivor, Vernon Gosney, from the Jonestown, from the documentary film, "Jonestown Massacre: Survivors Tell Their Stories," Retold - Documentaries & Reconstructions, "I wanted to leave as soon as I got there. I was in an armed encampment."

27——英語で脱北者は "defector" と表される。

28——Maya Angelou, *A Song Flung Up to Heaven* (Virago, 2010).

29——Okwui Enwezor, "The Wreck of Utopia: Alienation and Disalienation in John Akofrah's Postcolonial Cinema," *John Akomfrah: Signs of Empire* (New Museum, 2018), p84.

30—— Ibid. , p. 88.

31——参照：Tessa Morris Suzuki, *Exodus to North Korea: Shadows from Japan's Cold War* (Rowman & Littlefield Publishers).

32——Judith Butler, *The Force of Nonviolence: An Ethico-Political Bind* (Verso,2020).

原文は以下。 When migrants, for example, are figured as boding destruction, as pure vessels of destruction, poisoning racial or national identity with impurities, then actions that stop and detain them indefinitely, push them back into the sea, refuse to respond to their SOS when their crafts are falling apart and death is imminent, are all angrily and vindictively justified as the "self-defense" of the autochthonous community, tacitly or manifestly defined by racial privilege. In this form of morally licensed destructiveness, it turns out that destruction is emanating from a toxic and inflated notion of self-defense whose practices of renaming effect the justification of its own violence. That violence is then transferred, cloaked, and licensed by that racist moralization, one that operates in the defense of race and racism alike.

33——同右。

34——参照：フランツ・ファノン、前掲書。

35——KEYNOTE GEETA KAPUR:"DEMODERN: WHY?", COLLECTIONS IN TRANSITION

Decolonising, Demodernising and Decentralising? 22/09/2017 A symposium organised by L'Internationale (https://vanabbemuseum.nl/en/programme/programme/collections-in-transition/)

Postcolonial investigations confirm that while colonial modernization served the purpose of gross exploitation, modernity was co-produced by the west and its colonized subjects. Our shared modernity bears the wounds of history, and like many in the postcolonial world, I would rather that this wounded body survive through good nurture. --- Geeta Kapur

あとがき

2011年に韓国の脱北したダンサーたちとワークショップをしていたある時、帰り際に、アコーディオンの奏者である芸術団の副支配人の男性が私に苛立ちと悲しみを隠せない顔をしてこう言った。「総聯の人々は愚かだ。何週間か北朝鮮の良いところだけを見て踊らされて帰ってきて、北朝鮮を支持し続けている。お前たちは北朝鮮の実態を知らない。北朝鮮の国民は乞食も同然の暮らしをしている」。

その言葉にどのように私が応えたかを記憶していない。

もしかしたら、弁明したかもしれない。「私は知っているからこのプロジェクトを行っているのだ」と。しかし、今考えたらその頃の私は、本当に彼の意味したことを深く理解してはいなかった。東アジアに関心を持って調査を続けていた私でさえも、超えることができていなかった不可視性と沈黙の領域がそこには横たわっていた。

「朝露」プロジェクトは、これまでの記憶のジグゾーパズルの地図から欠如していたパズルのピースが見つかり、それをはめていくような作業に近かった。

思い当たる記憶があった。

初めて「祖国」と呼ばれる北朝鮮に訪れたのは17歳の高校生の頃の修学旅行の時だった。元山（ウォンサン）の港町からバスに乗って平壌に向かってバスは走って行った。その間、ムジゲ（虹）トンネルというトンネルで長い間立ち往生をした。なぜ渋滞しているのか、前に進まないのかわからなかったが、その止まっている間、反対車線でトラックの荷台にたくさんの人々、主に女性が乗っていて、私たちはお互いを見つめあっていた。9月の北朝鮮の夜はまだ寒く、トラックの荷台に乗って夜に女性が移動するには寒すぎると思われた。窓はしまっていた。話すことが許される雰囲気ではなかったのでただ見つめあっていた。「なぜ、この人たちはトラックの荷台に乗っているのか」、「彼らが目で私たちに伝えていることはなんなのだろうか」そんなことを考えていた気がする。

　この話を大阪に住む元「帰国者」の方に話すと、バスがないのでトラックの荷台に乗ることが北朝鮮で公共の交通手段として使用されているという話を教えてくださった。妊娠している時もその荷台に乗って移動し、ジャンプして飛び降りたと笑いながら話してくれた。

　高校生の私は、その光景を見て何かの非常事態なのだろうと思っていた。トラックが日常的に移動手段として利用されていることは、20年以上たってからやっと元「帰国者」の証言を通して知ることになった。

やっとバスがまた動き出して、暗い道を平壌に向かって走り出した。

その道すがら、とても大きなリュックサックを背負って歩く住民の姿がぽつぽつと見えることに気がついた。

夜の何時だか記憶はしていないが、9時以降の遅い時間だったと思う。

外灯もほとんどない北朝鮮の地方の道路を車線沿いに大きくて担げそうもない荷物を持ってただひたすら歩く人々を見て「どうしてこの人たちはこんな夜遅くに大きな荷物を持って歩いているんだろう」という素朴な疑問を持った。

その疑問も韓国に住む脱北した学生の証言から、闇市でものを売るために夜通し歩いている住人の事実を知らされる。トラックの公共交通手段さえも利用できない実情があったのだ。

私たちは北朝鮮の博物館、観光地や名所などを次々とバスに乗って移動して見学して回ったのだが、5~10分歩いたら着くような近距離でもバスに乗って移動させられた。今考えると、できるだけ私たちと現地の住民との直接的な接触を避けさせたかったようだった。

移動しているバスの中では、外の風景に見入っていた。

水を担いでいる少年がいたり、川で髪を洗っている女性の姿などが見えて、私の中では「第2世界」という言葉が浮かび上がっていた。

第3世界でもなく、第1世界でもなく、その間の第2世界という位置づけだった。

トイレが外にあり、水道が各家庭にないのかもしれないということは外の風景から推測できた。

しかし、副団長が言うような庶民の日常の風景は私たちには徹底的に隠されていた。

その風景は、友人がおばさんと面会した時に聞いた「村人が次々と倒れて餓死していっている」という話を聞いた時に初めてあらわになった。

同じ空間にいたが私たちにはその情景が徹底的に隠されていた。

しかしその話から伝わってきた情景というのは、常軌を逸したものだった。

何かがとてつもなく狂っていた。

ただ恐怖に震えて、それぞれの部屋にも帰ることができずに、ベッドの上でそのまま4~5人くらいで朝まで雑魚寝をしたことを覚えている。

それから他のクラスメートはどのようにしてその記憶に向き合ってきたのか、定かではない。

ただ、私は真剣に考えてしまう性質で、どうしてもそのことを忘れることができなかった。

それらの断片的な記憶をたずさえて生きてきたが、「朝露」プロジェクトで元「帰国者」の話を聞いたり、資料を通しての調査などをしてやっとその断片の先にあった現地の人々の暮らしが見えてきた。

隠しても隠しきれないほころびとして現れた彼らの姿は、ほんの一瞬しか空間を共にしなかったけれども、私の脳裏に確かなインパクトを残していった。

副団長が私に苛立ちをぶつけたのは、北朝鮮を訪れていた在日同胞の祖国訪問団のナイーブさへの怒りと、自由に日本と北朝鮮を往復することができる私たちへの羨望、怒り、落胆などの複雑な心情が入り混じっているようだった。

また、女性の団長は「一昔前までは北朝鮮で豊かに暮らしていたのは『帰国者』の家族であったが、今は脱北者の家族が豊かに暮らしている」と話した。その発言には、現地の人と「帰国者」の葛藤が見え隠れしていた。

ある賢者は、過去の痛みをともなう歴史的出来事を思い出す必要があるのかという弟子の質問に次のように答えた。

問題がどこにあるのかを知らなければ、それを解決したり、治したりすることはできない。私たちは病気がどこにあるのかを知る必要がある。しかし、傷口を掻きすぎてはいけない。どこに傷があるのかを知り、そこに薬を塗ればいい。包帯を巻いたりすればいい。しかし、多くの人々は傷があること自体を否定し続けている。傷口をどう治療するかは、非常にデリケートな問題であり、もし対処を誤ればさらなる憎しみを生みやすく、それは特に現在の世代にとっては、何としても避けるべきことだ。もし、どこかのコミュニティで憎しみが助長されたら、相手のコミュニティを破壊するだけでなく、自分自身をも破壊することになる。

「朝露」プロジェクトの制作過程は、自分自身の「洗脳」を解いていく過程のようだった。その後も、常に自分はまだ「洗脳されているかもしれない」という前提のもとで制作活動を行なっている。

韓国で出会った北朝鮮出身の若い女性が経験した「沈みゆく船」についてのエピソードがある。

彼女の家族は文字通り食べていくことが難しくなり、脱北を決意した。川を越えて中国に行きそこでとても困難な生活を4〜5年ほど経た後、山東省で小さな船を買って海を伝って韓国に行くことになった。航海に出発した昼頃に、彼女たちの乗った船のポンプが故障したことに気がつく。仕方ないので諦めて横になっていたのだが、夜になると波が大きくなり、少しずつ船の中に海水が入っていくことを感じた。船が通りかかってもそのまま通り過ぎる船もあったりしたが、運良く通りがかった大きな漁船が彼女たちを助けてくれた。その漁船に乗って10分ほど経った後、彼女が乗った船は沈んで行った。◆1

聡明な彼女は、韓国で猛勉強して大学に進学し、オーストラリアに交換留学した際に知り合った韓国人男性と結婚して、今は子供を授かり暮らしている。

今でも地球上の多くの人々は、もし故国に留まったら命を失うおそれがある危険と隣りあわせに生きている。命をつなぐために、故国を離れ、そして危険を承知であらゆる手段を尽くして国境を越える。もちろん、生活するには十分な環境があり、より良い生活を求めて国境を越える人も多くいる。

ただ、少なくとも第1世界に住む私たちは、すぐに「沈みゆく船」には乗っていない。

この「沈みゆく船」に乗っている人々が「洗脳」されている人々だとしたら、彼らを見殺しにしなければならないだろうか。

1――A documentary film, "Talk On A Road" by Won Hwan Oh, 50min, 2007.

朝露

日本に住む脱北した元「帰国者」とアーティストとの
共同プロジェクト

2023年3月15日　初版第1刷発行

編者　琴 仙姫
デザイン　山城絵里砂
翻訳　田村将理
カバー　琴 仙姫《朝露 Morning Dew – The stigma of being “brainwashed”》より
出演：和座 彩
印刷　モリモト印刷株式会社
助成　川村文化芸術振興財団
ソーシャリー・エンゲイジド・アート支援助成
発行人　細川英一
発行所　アートダイバー
〒221-0065　神奈川県横浜市神奈川区白楽121
TEL: 045-281-3081　FAX: 045-330-5165
info@artdiver.moo.jp

ISBN978-4-908122-19-4

各作品協力クレジット

琴仙姫

《朝露 Morning Dew - The stigma of being "brainwashed"》
2020 3チャンネル・ヴィデオ・インスタレーション

協力：北朝鮮難民救援基金 加藤博、北朝鮮帰国者の生命と人権を守る会 山田文明、北朝鮮の強制収容所をなくすアクションの会 宋允復、小川晴久、横田めぐみさん等被拉致日本人救出新潟の会 小島晴則
出演：和座彩、石川学、小島晴則
インタビュー協力：元「帰国者」のみなさま
撮影：飯岡幸子
映像技術協力：RAM Association（東京藝術大学大学院映像研究科）桂英史、和田信太郎、佐藤朋子
音楽：Stace Constantinou、Anastasia Vronski
インスタレーション制作：山形一生
翻訳協力：レベッカ・ジェニスン
助成：川村文化芸術振興財団 ソーシャリー・エンゲイジド・アート支援助成
アーカイブ協力：Jane Jin Kaisen、神戸映画資料館　安井喜雄、康浩郎、「朝鮮 蔚山達里にて」一般財団法人 宮本記念財団 所蔵 宮本馨太郎 撮影、The Past Unearthed, the Fourth Encounter (Moving Images From Gosfilmofond), Ngā Taonga Sound & Vision Steve Russell, The US National Archives, 根津映画倶楽部 島啓一、舞木千尋、浅川志保、小島晴則、NPO法人映画保存協会 石原香絵、International Committee of the Red Cross (ICRC)、NHK 荒井拓

竹川宣彰

《トットリころころ》
2020 インスタレーション

協力：申美花、西村芳将、赤井あずみ、奥村尚正、笹山大志、植田祐介、on Lee、藤原勇輝、三谷昇、鄭然旭、中森清 、木下公勝、岡田有美子、ゲストハウスたみ、他
来日して頂いた皆様：キム・ミョンジュ、ジョ・イェジン、イ・キョンへ、チョン・ギウォン
助成：川村文化芸術振興財団 ソーシャリー・エンゲイジド・アート支援助成

山本浩貴＋高川和也

《証言》
2020 ヴィデオ・インスタレーション

協力：木下公勝、稲田禎洋、川田淳、星野歩、高信翔
助成：川村文化芸術振興財団 ソーシャリー・エンゲイジド・アート支援助成

朝露

日本に住む脱北した元「帰国者」とアーティストとの
共同プロジェクト

Morning Dew

- A collaborative project between the artist and “ex-returnees”
who defected from North Korea to Japan

展覧会

会期　2020年11月5日—11月10日
会場　北千住BUoY（東京都足立区千住仲町49-11）
　BUoy 芸術監督　岸本佳子
　https://buoy.or.jp/
展示作家　琴仙姫、竹川宣彰、山本浩貴＋高川和也
主催　朝露プロジェクト
助成　川村文化芸術振興財団
　ソーシャリー・エンゲイジド・アート支援助成
プロジェクトコーディネーター　岡田有美子
アシスタントコーディネーター　樋熊冬野、宮川緑
協力　RAM Association（東京藝術大学大学院映像研究科）

オンラインシンポジウム

会期　2020年11月5日　19時—21時
登壇者　琴仙姫、竹川宣彰、山本浩貴＋高川和也、
　高嶺格、毛利嘉孝、李静和
配信会場　theca（コ本や honkbooks）
　https://honkbooks.com
協力　RAM Association（東京藝術大学大学院映像研究科）

ミニズム論、現代のビジュアル・カルチャー、文芸表現と安全に暮らせる社会作りに興味を持っている。日本で活躍している女性アーティストの作品の翻訳紹介を国内外で発表。主な著書に『表現する女たち―私を生きるために私は創造する』（共編、第三書館、2009）、『残傷の音―「アジア・政治・アート」の未来へ』（共著、岩波書店、2009）等がある。

笹山大志

1994年生まれ。朝日新聞社会部記者。2014年韓国留学、2017年立命館大学卒業後に朝日新聞社入社。水戸・神戸総局に勤務後、2021年に政治部の首相官邸担当。菅政権・岸田政権で総理番や孤独・孤立対策担当大臣の番記者などを務める。2022年10月に社会部に異動し、統一教会問題を担当。

崔敬華

1977年兵庫県生まれ。東京都現代美術館学芸員。ロンドン大学ゴールドスミス・カレッジにて修士号（美術史・美術理論）を取得後、マルメ・アート・アカデミーにてクリティカル・スタディーズ（Post MA）を修了。インディペンデント・キュレーターを経て現職。主な展覧会は「MOTアニュアル2021―海、リビングルーム、頭蓋骨」（東京都現代美術館、2021）、「もつれるものたち」（共同企画、東京都現代美術館、2020）、「他人の時間」（共同企画、東京都現代美術館ほか巡回、2015―2016）、「ウェンデリン・ファン・オルデンボルフ―柔らかな舞台」展（東京都現代美術館、2022―2023）など。

李静和

韓国済州島生まれ。1988年来日。成蹊大学法学部教授。主な著書は『つぶやきの政治思想―求められるまなざし・かなしみへの、そして秘められたものへの』（青土社、1998）、『求めの政治学―言葉・這い舞う島』（岩波書店、2004）、『残傷の音―「アジア・政治・アート」の未来へ』（編者、岩波書店、2009）。

近藤健一

1969年生まれ。森美術館シニア・キュレーター。ロンドン大学ゴールドスミス校美術史修士課程修了。2003年より森美術館勤務。同館での企画・共同企画に、「英国美術の現在史―ターナー賞の歩み展」(2008)、「六本木クロッシング 2010展」(2010)、「アラブ・エクスプレス展」(2012)、「カタストロフと美術のちから展」(2018)、「未来と芸術展」(2019)、「六本木クロッシング 2022展」、小泉明郎(2009)、山城知佳子(2012)、アンディ・ウォーホル(2014)、Chim↑Pom(2022)の個展。2014年から15年にはベルリン国立博物館群ハンブルガー・バーンホフ現代美術館客員研究員を務める。

松村美穂

一橋大学大学院社会学研究科博士後期課程単位取得退学。研究関心は、戦争と人の移動、トラウマと創造性、セクシュアリティとジェンダーなど。主な著作に、「帰還兵と、生きのびること―イラク戦争の帰還兵の証言集会から」(『臨床心理学』増刊第12号、2020)、「アートと移動の関係についての一考察―アートイベントへの参加の経験をふり返って」(『理論と動態』第9号、2016)など。

鄭暎惠

1960年東京都荒川区東日暮里生まれ。社会学者。2017年に大学教員を早期退職。現在、MacEwan大学(カナダ・エドモントン)にて在学中(Indigenous Studies, Medical Anthropology)。「ホットラインちゃめ―」(2004年から2011年)、「性暴力禁止法をつくろうネットワーク」設立時共同代表。著書『私という旅』(青土社、1999)。『〈民が世〉斉唱』(岩波書店、2003)。

島貫泰介

1980年生まれ。美術ライター/編集者。2005年武蔵野美術大学映像学科卒業。別府、京都、東京を移動する多拠点生活を続けながら、美術やポップカルチャーに関する執筆・編集・企画を行っている。2022年の主な仕事に「小さな温泉芸術祭―湯の上 FOREVER !-」「三枝愛―庭のほつれ―なばに祈る」(ともに別府市内)のキュレーション。

レベッカ・ジェニスン

1949年アメリカ生まれ。京都精華大学人文学部教授。現代近代・現代文学/芸術をジェンダーの視点から研究中。現代アートと「ディアスポラ」、パフォーマンス・アートとフェ

ク・アート—活動する空間、場所、コミュニティ』（ベーノン・プレス、2022）、『新しいエコロジーとアート—まごつき期」としての人新世』など。

高川和也

1986年熊本県生まれ。2012年東京藝術大学大学院美術研究科絵画専攻修了。近年は、精神分析や心理学を参照にしながらビデオドキュメントやインタビューを制作。主な展覧会に「MOTアニュアル2022—私の正しさは誰かの悲しみあるいは憎しみ」（東京都現代美術館、2022）、「ソーシャリー・エンゲイジド・アート展—社会を動かすアートの新潮流」（3331 Arts Chiyoda、2017）、「大京都」（Re-Search、2017）、「ASK THE SELF」（Tokyo Arts and Space、2016）等がある。

[寄稿者略歴]（掲載順）

毛利嘉孝

1963年生まれ。社会学者。専門は文化研究／メディア研究。東京藝術大学大学院国際芸術創造研究科教授。ロンドン大学ゴールドスミスカレッジPh.D.（Sociology）。九州大学大学院比較社会文化研究科助教授等を経て現職。特に現代美術や音楽、メディアなど現代文化と都市空間の編成や社会運動をテーマに批評活動を行う。主著に『バンクシー』（光文社新書、2019）、『増補 ポピュラー音楽と資本主義』（せりか書房、2012）、『ストリートの思想』（NHK出版、2009）、『文化＝政治』（月曜社、2003）、編著に『アフターミュージッキング』（東京藝術大学出版会、2017）等。

岡田有美子

1982年生まれ。2005年から2009年まで前島アートセンター事務局。2011年から2012年まで文化庁新進芸術家海外研修生として、キューバ滞在。以後、フリーランスとして沖縄、キューバを中心に島にまつわる現代美術に関する研究や展覧会の企画を行っている。主な仕事に「insularidad—島国であること—アベル・バロッソとサンドラ・ラモス」（キャンプタルガニー、2013）、「海の庭—山城知佳子とサンドラ・ラモス」（表参道画廊、2017）、「近くへの遠回り—日本・キューバ現代美術展」（ハバナ・ウィフレドラムセンター／青山スパイラルガーデン、2018）。2018年より鳥取在住。

執筆者略歴

［アーティスト略歴］

琴 仙姫

東京都生まれ。アーティスト。2005年カリフォルニア芸術大学（Cal Arts）修士課程修了。2011年東京藝術大学先端芸術表現領域博士課程修了。2016年ポーラ美術振興財団在外研修員としてロンドンにて研修。apexart（ニューヨーク、2012）、Pump House Gallery（ロンドン、2012）、釜山ビエンナーレ（釜山、2014）、MEINBLAU project space（ベルリン、2017）などで展示。2019年度川村文化芸術振興財団「ソーシャリー・エンゲイジド・アート支援助成」を受け「朝露」プロジェクトを推進。2023年アメリカ・コーネル大学THE HERBERT F. JOHNSON MUSEUM OF ARTにて「朝露」プロジェクトの特別展開催。

www.sonikum.com

竹川宣彰

1977年東京都生まれ。平面、立体、インスタレーションなど多岐にわたる表現方法で、独自のセンスとユーモアに富んだ作品を制作。国内外で数多くの展覧会に参加しながら、デモなどの路上の活動にも加わり、社会・歴史と個人の関係を常に問い直している。近年参加した展覧会は「理由なき反抗」（ワタリウム美術館、2018）、ウラジオストクビエンナーレ（2017）、シンガポールビエンナーレ（2016）、あいちトリエンナーレ（2016）など。

takekawanobuaki.com

山本浩貴＋高川和也

山本浩貴

1986年千葉県生まれ。文化研究者、アーティスト。一橋大学社会学部卒業後、ロンドン芸術大学にて修士号・博士号取得。2013～2018年、ロンドン芸術大学トランスナショナルアート研究センター博士研究員。韓国・光州のアジアカルチャーセンター研究員、香港理工大学ポストドクトラルフェロー、東京藝術大学大学院国際芸術創造研究科助教を経て、2021年より金沢美術工芸大学美術工芸学部美術科芸術学専攻講師。単著に『現代美術史—欧米、日本、トランスナショナル』（中央公論新社、2019）、『ポスト人新世の芸術』（美術出版社、2022）、共著に『トランスナショナルなアジアにおけるメディアと文化—発散と収束』（ラトガース大学出版、2020）、『レイシズムを考える』（共和国、2021）、『東アジアのソーシャリー・エンゲージド・パブリッ

Fragile Frames / Precarious Lives: Soni Kum's *Morning Dew*

Rebecca Jennison

I keep returning to the notion of 'obdurate history'—
be it pubic or personal—that stubbornly and insistently returns
to confront us.

Moira Roth, "Of Memory and History"[1]

...when I make a new work, it is as though I am discharging pieces of baggage I have carried, one by one. The artwork possesses its own life, it provides a secret code of information to people who want to have access to it.

Soni Kum, "Decoding Karmic Code"[2]

In her powerful three-channel video installation, *Morning Dew - The stigma of being "brainwashed"* (2020), intermedia artist Soni Kum delicately interweaves images, sounds and words, giving powerful and poetic testimony to an almost invisible chapter in modern and contemporary "postwar" history. *Morning Dew* is also the title of a unique and innovative collaborative project curated by the artist that brings together contemporary artists and former North Korean "returnees" living in Japan that sheds light the "obdurate history" of the era of Japanese colonialism in Korea through the Pacific War, the Korean War and the Cold War, drawing on images, narratives and voices of people who joined the North Korean Repatriation Project coordinated primarily by the Japan-North Korea Red Cross from the late 1950s into the 1980s[3].Through both her own work and the larger project of

the same title, Kum has opened up a space to consider the entangled histories of survivors of this fraught period of history from the perspective of an artist who herself was born and raised in a North Korean diasporic community in Tokyo.

Kum is one of a growing number of contemporary artists who are exploring their personal and family histories in connection with global, geo-political histories of colonialism, war and migration. Dinh Q. Lê (b. 1968) is another such artist who has explored themes related to history and memory through re-examining images of the war in Vietnam and its aftermath. More than two decades ago, art historian Moira Roth (1933-2021) and Lê began an email exchange in the context of the twenty-fifth anniversary ot the end of the Vietnam War. At the time, Lê was completing the large installation work, *Moi Coi Di Ve* (Spending one's life trying to find one's way home, 2000) in which he had used 1,500 family photographs found in secondhand stores in Ho Chi Minh City, photos that people had been forced to leave behind when they fled from Vietnam. It was in their exchange about these works that Roth wrote, "I keep returning to the notion of 'obdurate history' be it public or personal, that stubbornly and insistently returns to confront us." Lê, who grew up in Los Angeles, later also began to take apart images of the Vietnam war seen in well-known Hollywood films and produced "photoweavings" that help us become aware of the frames of war and challenge us to see beyond the limits of those frames. For Lê, obdurate histories that "won't give up, that will never disappear" continue to inform his art.

In a similar way, Soni Kum has continued to probe "obdurate histories" through her art. Kum's *Morning Dew - The stigma of being "brainwashed"*, juxtaposes and reweaves fragments of still and moving images, live-acted scenes, documentary film and media clips, taking apart the frames of existing "mono-narratives" and reconstructing them to create a moving tapestry that challenges us to see

beyond dominant narratives. The artist asks us to look at the "obdurate history" of Japan's colonization of Korea, the Pacific War, the violent suppression of the 4.3 people's uprising in Jeju Island backed by a US-backed military regime, the Korean War, and the "repatriation project" through the eyes of survivors and their descendants. The vestiges of Japan's colonialism and U.S. imperialism in a region where a final peace agreement has yet to be reached, create conditions in which the "ex-returnees" now living in Japan's metropoles must struggle to survive in the face of ongoing prejudice and stigmatization. After listening to their narratives, Kum has transformed the baggage of their memories she now carries into sequences of dream-like images, an artwork with a life of its own.

With support from the innovative Socially Engaged Art Support Grant (supported by the Kawamura Arts and Cultural Foundation), Kum spent twelve months interviewing fifteen "ex-returnees." *Morning Dew - The stigma of being "brainwashed"* constitutes Kum's response to these encounters. Three other artists, Kazuya Takagawa, Nobuaki Takegawa and Hiroki Yamamoto, also met with former "returnees" living in Japan and created new works based on their personal encounters. In November 2020, Kum's three-channel video installation was shown along with works and archival materials gathered through the project in Tokyo, but like so many live art venues, due to the Covid-19 pandemic, only a limited number of viewers were able to see the exhibition. A showing of Kum's work and symposium scheduled to be held at Cornell University in April, was also cancelled. But the symposium was rescheduled and held online in April, 2021; this essay is based in part on the online conversations held with the artist at that event.

In Kum's *Morning Dew - The stigma of being "brainwashed"*, fragile, faded images from black and white archival films, live-acted

scenes and original film footage of present-day Tokyo are carefully interwoven, conveying the artist's imaginative response to the accounts of her informants. At the same time, we start to notice a chronological sequence unfold through images taken from war documentaries, newsreels and other sources; the reframing and editing of these images creates unsettling moments in a non-linear viewing experience that resists spectacle. Embedded in the images and sounds that the viewer encounters, are "secret codes" to be explored.

Each of the seven sections of the work begins with an epigraph taken from a wide range of sources—including Aeschylus, Albert Camus, Korean War historian Bruce Cumings, Lenin, an informant, and a Lakota Elder. These poetic notes spark recognition of unexpected links between specific histories that span diverse times and locations. Similarly, unexpected images—often on the 'third' screen—interrupt linear and binary constructions. These images—a pair of women's shoes left high on a cliff overlooking the sea, images of laborers forced to work in slave-like conditions, an animal, dazed and trapped in the path of blazing fires in the Australian bush—startle the viewer to new moments of recognition. Interspersed with scenes from commuter trains, crowded stations, and well-known Shinto shrines in present-day Tokyo, we are reminded that all of these "memory images" are part of the lived present of "ex-returnees" who now reside in Japan.

Kum's work is the result of a process of collaboration that enables the artist and her informants to "discharge" the weighty baggage of these obdurate histories; in the imaginary time/space of *Morning Dew*, viewers can perhaps come closer to sensing the heavy burdens of those whose real faces and voices never appear, but whose presence is strongly felt; the work creates a space where there is listening, or soft murmuring where there once was only silence. As viewers or witnesses of the work, we too cannot help but look and listen in new ways.

In the early 2000s, Kum began to develop a practice drawing on live performance, video and archival film. In experimental works like *Beast of Me* (2005) and *Foreign Sky* (2005), she juxtaposed diverse film and media images with personal narrative or video performance, disrupting and dismantling dominant narratives[4]. The artist began working on projects that would become *Morning Dew* more than a decade ago when she was conducting a series of art workshops with *"dappoku sha"* (North Korean migrants or "defectors") in South Korea. She began to notice that some of them were Zainichi Korean 'ex-returnees' who had left the North for South Korea. At an artist's residency in Seoul in 2011 to 2012, Kum coordinated workshops where they could come together and find support in a safe space. In one workshop, she brought traditional dancers from North and South Korea together to perform and share in a collaborative creative project she hoped would lead to new ways to reconcile divisions between North and South. Through these workshops, Kum learned more about what she calls the "ex-returnees," those who had joined the repatriation project starting in 1959 and 'returned' to the DPRK (North Korea) in search of a better life. Among them, some later 'defected' to the South, and since have returned to Japan.

When asked about her choice of Kim Min-gi's popular protest song, "Morning Dew," (1970) in the title of the work, Kum explained that she first heard the song when she was a 5th grade student in a North Korean elementary school in Tokyo. Like the informants who shared their stories, this song has also crossed borders[5]. It was only one of a handful of 70s and 80s folk songs from South Korea taught in Chongryon or North Korean ethnic schools, where students learned mostly ideological songs praising the North Korean Leader or labor party. It was allowed at first, because it was sung in movements to protest the military dictatorship in South Korea. Though still a child, Kum was impressed by the song's poetic lyrics and by the metaphor

of morning dew. But the song has more complex implications, as Kim Min-gi could not write specifically about the military dictatorship in South Korea at the time; the poetic metaphor and popular message spread widely, even to North Korea, and to Kum and her classmates. Since then, the song has been banned in North Korea as well; it has also been popular in other pro-democracy movements in East Asia.

The motivations underlying Kum's work are her ongoing interest in the question of history and narrative, and her aim as an artist to examine the missing pieces, the silences and aporia in meta-narratives of history that allow the "so-called winners to occupy center stage." As a strategy to circumvent this system of representation, Kum is interested in creating "a more personal, more fragmented way of history 'telling' that includes the bits or parts that are lost or left out of official story telling or textbooks, or historical narratives and textbooks, or this historical narrative taught by national officials used as a means of actually brainwashing[6]."

Kum's aim is to disrupt such dominant narratives because they "tend to create anger or hatred targeted toward a scapegoat, toward someone or some country, allowing people even to hate them, or think it's OK to bomb them, or to attack them, because they are 'inferior' or 'violent' or 'brainwashed.'" Kum herself experienced discrimination as a Zainichi Korean in Japan. Her paternal grandfather ran a small shop in Kyoto, selling Japanese crafts and dolls; later he was conscripted as a Japanese soldier and forced to fight for the Imperial Army in Leyte, the Philippines. Hoping to expose her viewers to other ways of seeing, Kum tries to juxtapose archival images from multiple sources. Through this practice, Kum reframes these images in a new context,

> …on one time line or in one time and space to create some kind of equilibrium and a sort of 'horizontalization' (leveling) of the power relations. [I] try to disperse or defuse the agenda of a

particular institution or authority, the actual financial interests or greed behind them. And by juxtaposing these images and re-contextualizing them into one timeline or time and space, I can create new meanings that share the same time and space, create some sort of utopic space that is not possible, doesn't exist in the real world[7].

In *Morning Dew*, Kum uses metaphor and metonymy, juxtaposing fragile, but highly charged archival images such as documentary footage of conscripted soldiers, or Korean school girls who had to worship at Shinto shrines in colonial Korea. She creates the imaginative possibility of travel in time and space. Korean soldiers conscripted to fight for the Japanese Imperial army appear on a southeastern island, or in the central image of film-footage of Iwojima, where US soldiers landed at the end of the Pacific War. Korean conscripted soldiers who wanted to live emerged smiling from caves when called out by second generation Japanese-American soldiers who had been mobilized to persuade Japanese soldiers to surrender. Kum was startled by such images, particularly because her own grandfather had been conscripted as a soldier to fight for the Japanese.

The soundtrack for the work was also carefully considered. Kum explained that she sought to use language in a minimal way and has continued to be inspired by poet and critic Lee Chonghwa to think about "sounds that we can't hear, that are not audible through the physical ear, but sounds that are actually present in this real, actual world." Developing a keen sense of listening—both to the silence, and to the voices of those who may have already passed away—were critical elements when Kum worked with composer and sound artist Stace Constantine, then teaching at Kingston University outside London, on the soundtrack for the work. Kum notes that in a sense the work is a "story of silence."

> I wanted to stay away from any sort of drama, any sort of romantic movie or family melodrama that could be 'moving.' I wanted to stay away from the conventional way of manipulating people's emotions, or directing them in a particular way. I think I needed to have a good amount of courage to work on this project because a lot of Zainichi Koreans are still in circumstances where they must remain silent and invisible[8].

Kum's negotiations with silence and invisibility mean she must also consider her relationship to the art world in Japan. After the triple-disaster of March 11, 2011, museums and curators have become more open to exhibiting works with somewhat political themes. Many artists have received awards for such works. At the same time, there is still an unspoken criterion: that these works should not touch on "sensitive issues" regarding contested interpretations of the history of Japan's colonial occupation of East Asia. Because of the challenges Kum and her informants face, the artist ended up using only a small percentage of the narratives she recorded. The work's title and subtitle combine a poetic metaphor with a reference to the harsh, social reality and finally alert us to ways in which we ourselves are part of this brainwashing system and structure.

Perhaps ironically, as K-pop culture grows in popularity in Japan and around the world, Japanese and South Korean people are getting on well in spite of ongoing tensions between the governments. But Kum explains that in the case of North Korea, the situation is different.

> Amidst of the burgeoning popularity of K-pop culture, the image of North Korea is still charged with hatred and disgust...directed toward the other country and the people living there, or people

who come from there or have anything to do with North Korea. So why is there this trauma? I think it is because (most) Japanese think North Koreans are brainwashed by a government, that is totalitarian, inferior, violent, poor, insane…all negative images. People associated with North Korea are exposed to this daily. It's very heavy… the agony of this stigma of being "brainwashed"[9].

§

He knew that man's heart away from nature, becomes hard; knew that lack of respect for all living things soon leads to lack of respect for humans, too.

Lakota Elder, "Ghost Dance"

I had the opportunity to watch *Morning Dew* on a full-sized screen in early March, 2022 at the Aichi Arts Center in Nagoya. As I continued to try and decode elements of Kum's tapestry of visual and sound images, I was struck by several things such as the powerful impact of the sound track and moments of silence in it. I was also struck by the juxtaposition of diverse visual images of young girls in school uniforms climbing the steps of Shinto shrines in colonial Korea, and a man's repeated ascent and descent on an escalator in one of Tokyo's present-day skyscrapers, perhaps "shrines" to "postwar" consumer culture and material prosperity. I am still trying to decode Kum's work, but am now more aware that though these frames appear fragile, and the lives they depict seem precarious, the scaffolding is strong, the resilience of these people we never see directly is astonishing.

The epigraph for the final section—words of a Lakota Elder—invokes the Lakota Ghost Dance, a ceremonial dance to commemorate the dead that was misunderstood to be a "war dance" by the US military in the 19th century when settler colonialism forced starvation,

migration and death upon native North Americans. The unexpected juxtaposition of image and word remind me of still-dominant narratives of imperialism on the continent I come from, and the stream of visual images highlighting the dramatic vertical climb and descent in the metropole lead me to reflect on those words of the wise Lakota Elder who "kept his youth close to (nature's) softening influences.[10]"

Now, in the face of an ongoing pandemic, environmental crises, the war in Ukraine, and new tensions in the East Asian region, *Morning Dew* is a timely intervention that helps us see "missing pieces" in official histories. As she discharges this baggage, Kim continues to place herself unflinchingly at the hub of a complex and risky "politics of representation, visibility/invisibility, silence/speech." She asks us once again to consider questions raised by Judith Butler in *Frames of War* and *Precarious Lives:* "Whose lives matter, whose lives and deaths should be remembered and mourned?" [11]. As I watch *Morning Dew* and the works of the other artists in the project and think about my own relationship to these public and private histories, I also recall the words of African American writer and historian, Imani Perry who in a recent reflection on the "obdurate histories" of colonialism and slavery in U.S. history, wrote that we are living in times when it "makes sense to return to the past and try and figure out the arrangement of what is remembered and forgotten, or what is retained and what has been thrown away, as they are part of the problem."[12] No doubt, *Morning Dew* is not the end of the story. There is more baggage to be discharged, and there are more "obdurate histories" that will not disappear. I look forward to following the work of Soni Kum and the other artists who participated in the *Morning Dew* project as they continue along their journeys.

1 — Moira Roth, "Cuoc Trao Doi Giua/Of Memory and History" in *Dinh Q. Lê, From Vietnam to Hollywood*, ed. by Christopher Miles and Moira Roth(Seattle: Marquand Books, 2003), P15. Also see Moira Roth, "Obdurate History: Dinh Q. Lê, the Vietnam War, Photography, and Memory," *Art Journal* (2001), 60:2, pp.38-53, DOI: 10.1080/00043249.2001.10792063).

2 — Soni Kum, "Decoding Karmic Code," 2013 (unpublished essay).

3 — The program was started after the Korean Armistice Agreement of 1953 which brought an end to armed conflict; there has never been a Peace Treaty and thus the Korean War has never officially ended. See Tessa Morris-Suzuki, "Exodus to North Korea Revisited: Japan, North Korea, and the ICRC in the 'Repatriation' of Ethnic Koreans from Japan."
https://apjjf.org/2011/9/22/Tessa-Morris-Suzuki/3541/article.html.

4 — Brett de Bary, "Looking at Foreign Sky, Desperately Seeking Post-Asia: Soni Kum, Nagisa Oshima, Ri Chin'u," *Asian Cinema 26,* no. I: 7-22 (2015). Also see Yasuko Ikeuchi, "*Kum Soni no eizo sakuhin: Morning Dew - The stigma of being 'brainwashed*'" [Kum Soni's video work, Morning Dew - The stigma of being "brainwashed"], *Josei, Sensou, Jinken* [Woman, War, Human Rigths], 21, (Kyoto: Kohrosha, 2022) , pp.109-120. Yasuko Ikeuchi, "Her Narration and Body: On Soni Kum's Film work" and Rebecca Jennison, "'Postmemory' in the Work of Oh Haji and Soni Kum" in *Still Hear the Wound: Toward and Asia, Politics and Art to Come*, ed. by Lee Chonghwa, translated and edited by Rebecca Jennison and Brett de Bary, Ithaca: Cornell East Asia Series, 181(2015).

5 — See: https://en.wikipedia.org/wiki/Kim_Min-ki.

6 — Interview with Soni Kum, April 2, 2021.

7 — Ibid.

8 — Ibid.

9 — Ibid.

10 — Standing Bear, cited in *Indian Spirit*, page 10, edited by Michael Oren Fitzgerald and Judith Fitzgerald, World Wisdom, Sacred Worlds (2006), www.worldwisdom.com. This work is based on the editors' field research on Native American spiritual traditions begun in the 1970s.

11 — Judith Butler, *Frames of War: When Life is Grievable* (2010), and *Precarious Life: The Power of Mourning and Violence* (London and New York: Verso Books, 2004).

12 — Imani Perry, *South to America: A Journey Below the Mason-Dixon to Understand the Soul of a Nation New York* (Harper and Collins, 2020), p.313.